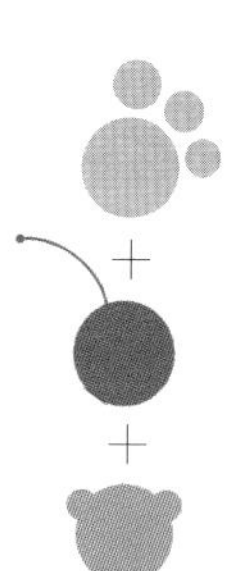

# 作　者　介　绍

**杨红樱**，中国当代具有广泛影响力的儿童文学作家，曾做过小学老师、童书编辑，被中宣部评为“全国宣传文化系统‘四个一批’人才”，被中央精神文明建设指导委员会评为“第一届全国未成年人思想道德建设先进工作者”，获中宣部、国务院新闻办公室授予的“讲好中国故事文化交流使者”称号，享受国务院政府特殊津贴。

19岁开始发表儿童文学作品，现已出版童话、儿童小说、散文八十余种。已成为畅销品牌图书的系列有：“杨红樱童话系列”“杨红樱成长小说系列”“淘气包马小跳系列”“笑猫日记”系列。其作品总销量超过1亿册。作品被译成英、法、德、韩、泰、越等多种语言在全球出版发行。

在作品中坚持“教育应该把人性关怀放在首位”的理念，在中小学产生了广泛的影响，多次被少年儿童评为“心中最喜爱的作家”。

获2014年国际安徒生奖提名。

“笑猫日记”系列，获世界知识产权组织版权金奖、第二届中华优秀出版物图书奖，连续三次荣获全国年度最佳少儿文学读物奖。《笑猫日记·那个黑色的下午》获第二届中国出版政府奖图书奖。

马小跳的表妹杜真子有一只猫，他会笑。还记得吗？

杨红樱 著

笑猫日记

明天出版社

# 樱花巷的秘密

Yinghua Xiang de Mimi

# 目录

在这个落叶飘飞的深秋，
樱花巷里那些枝丫干枯的樱花树
竟然在一夜之间花开满树。

起跑线
加油站

往日宁静的小巷因此变得人头攒动，热闹非凡。

看着樱花树下熙熙攘攘的赏花的人群，

看着扮成樱花小精灵的贵妇犬菲娜，

看着被迫到“起跑线加油站”

喝“智慧汤”、扎“聪明针”的孩子们

和疯狂抢购天价“状元作文本”的家长们，

我好像跌进了一个奇怪的梦里……

是蜜儿那副神奇的眼镜和万年龟的隐身术，
让我和球球老老鼠推开了一扇探寻真相的大门。

我们在樱花巷里究竟会发现哪些惊人的秘密呢?

# 角色档案

她是马小跳的同学，也是马小跳的邻居。她看起来有点儿笨，可是她的聪慧是一般人不易察觉到的。她有一双会发现的眼睛，还有一颗非常善良的心。

一个自称专家的骗子。他声称发明了能让笨孩子变成聪明孩子的“智慧汤”和“聪明针”。笑猫用蜜儿那副神奇的眼镜发现这个骗子原来是一个在学校门口卖棉花糖的人。

## “起跑线加油站”站长

# 安琪儿的妈妈

一个不停地拿自己的孩子跟别人的孩子做比较的妈妈，她怕安琪儿输在起跑线上，便强迫安琪儿喝“智慧汤”、扎“聪明针”，还逼着安琪儿到“小天才培训基地”去接受培训。她一次次上当受骗，却执迷不悟。

# 贾博士

一个自称博士的骗子。他创建了“小天才培训基地”，鼓吹小天才就是不像孩子的孩子。球球老老鼠告诉笑猫，这个骗子原来是个卖假耗子药的。

安静！

# 在深秋开放的樱花

那一天

天气：秋意浓，浓在艳丽的色彩。金色秋风中，翻飞着黄的落叶，红的落叶，一片一片，铺在地上，仿佛给大地铺上了一层色彩斑斓的地毯。

一年四季，我最喜欢的还是深秋的景色，因为深秋有落叶，有落叶才有浓浓的秋意。

翠湖公园有两个欣赏落叶的好地方，一个是银杏林，一个是梧桐道。铺满落叶的银杏林，是我和虎皮猫最爱去的地方，我们在落叶上散步，听踩在落叶上脚底下传来的沙沙声；落叶纷飞的梧桐道，是我和球球老老鼠最爱去的地方，这里比银杏林更萧条，更荒凉。多愁善感的球球老老鼠，喜欢在悲凉的秋色里，

感叹四季轮回，生命兴衰。

午睡过后，我来到梧桐道，希望能遇见球球老老鼠，一边在纷飞的落叶中散步，一边听他高谈阔论。

我从梧桐道的这头走到梧桐道的那头，又从梧桐道的那头走到梧桐道的这头，没有遇见球球老老鼠，没有听见那声有点诡异的“笑猫老弟”。

球球老老鼠怎么还不出现呢？他会去哪儿呢？

我推测着球球老老鼠可能会去的地方，正在犹豫去不去找他，一声“笑猫老弟”，球球老老鼠出现在我的面前：“你猜我刚才去了哪里？”

“我猜不出来。”我懒得去猜，“你一天到晚神出鬼没……”

“我告诉你吧，我刚才去了樱花巷。”

“你去樱花巷干什么？”我想起贵妇狗菲娜就住在樱花巷，“你是不是想菲娜了？我也有好长时间没见着她了。”

“我去樱花巷，还真不是因为菲娜，是因为我的好奇心。”

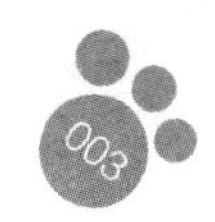


好奇心是生命的维他命。球球老老鼠活了那么大的岁数，还有那么强烈的好奇心，这也是他长生不老的一个原因吧。

我问球球老老鼠："樱花巷有什么值得你好奇的？"

"春天的樱花巷，繁华无比，人流如织，都是来看樱花的。我就好奇，秋天的樱花巷，是什么样子的。"

"比现在的梧桐道更加悲凉。"我曾经见过秋天的樱花巷，"树枝上没有一片树叶，光秃秃的。倒是落下来的树叶，我特别喜欢，心形的，金属般的古铜色，踩在上面发出有质感的声音……"

"你说的是以前的樱花巷。现在的樱花巷不仅没有落叶，樱花树上还开满了樱花……"

"打住！这也太荒唐了！"我以为球球老老鼠异想天开、信口开河的老毛病又犯了，"我们还是聊点别的吧。"

"笑猫老弟，耳听为虚，眼见为实，我现在就陪你去一趟樱花巷。"

自从老老鼠的体形变成球球后，他就可以在光天化日之下和我出双入对。他在我的身边蹦跳着，在路上的行人看来，无非是一只猫带着自己的玩具球球在散步。

樱花巷就在翠湖公园的附近。到了樱花巷，眼前的情景让我大吃一惊，我终于明白入秋以来，翠湖公园的游人为什么那么少，原来都到樱花巷来了——这里成了这座城市一道奇特的景观。

球球老老鼠说得没错，深秋的樱花巷春意盎然，小巷两旁的樱花树，干枯的树枝上开满了淡淡的紫色的樱花。最喜剧的是那些来赏樱花的人，无论男女老少，头上都戴着花冠，脖子上挂着花环；无论男女老少，手上都举着自拍杆，以树上的樱花为背景，一样的角度，一样的笑容。

我和球球老老鼠在拥挤的人流里缓缓前行，什么都看不见，只看见穿着各种鞋的脚，球球老老鼠还时不时被这些脚踢一下，他们以为他们踢的就是一个皮球。当我们终于走出了樱花巷，球球老老鼠几乎被踢死了。

“这哪是赏花，简直就是受罪啊！”

我仿佛听不见球球老老鼠的抱怨，如在梦中。这样的樱花巷，是真的吗？

“笑猫老弟！”球球老老鼠在我的耳边说，“我好像看见菲娜了，但我不能确定是不是她。”

只见一个打扮成花仙子的姑娘正在向游人兜售花冠和花环。她身边的一条狗也头戴花冠，脖子上挂着好几个花环，身上的毛也挑染成一朵朵浅粉色的樱花，游人的眼球都被吸引到这条狗身上。

我和球球老老鼠费了好大的劲，才挤进了人群。

“噢，天哪！”

听到这经典的惊叫声，可以肯定这条狗是贵妇狗菲娜。菲娜在人群里发现了我，可她并没有像以往那样，马上跑到我的身边来，而是继续帮那个打扮成花仙子的姑娘卖花冠和花环。

我挤出人群，到一旁去等菲娜。望着樱花巷那如云如霞的樱花，我百思不得其解：深秋时节，怎么会有樱花开得轰轰烈烈？

我问球球老老鼠：“你活了这么大的岁数，见多

识广，你见过秋天开樱花吗？”

“我活到今天这把年纪，什么稀奇古怪的事情没见过？连铁树开花、六月飘雪这样的事情我都见过，但是——”球球老老鼠语气一转，“秋天开樱花，不要说见，还从来没听说过呢！”

天快黑了，樱花巷的游人渐渐稀少，打扮成花仙子的姑娘把花冠和花环也卖完了，菲娜这才跑到我的身边来：“噢，天哪！亲爱的笑猫，我们有多久没见面了？”

我也不记得我和菲娜有多久没见面了。我看菲娜头上戴的花冠、脖子上挂的花环和樱花树上的花色一样，便问菲娜：“这花是从樱花树上摘下来的吗？”

菲娜反问道：“你觉得这花儿是从哪儿来的？”

我嗅着菲娜身上的樱花：“怎么一点香味儿都没有？”

菲娜往后退，想离我远点：“樱花本来就没有香味儿。”

我回忆着樱花的味道，“虽然很淡很淡，但还是有一丝丝清香的。”

“我们还是换个话题吧！”菲娜好像不愿意再说樱

花，“笑猫，你找我有什么事吗？”

“我不是来找你的。”我实话实说，“我是因为好奇，樱花巷的樱花，怎么会在秋天开放呢？”

“噢，天哪！这有什么好奇的？”菲娜的经典叫声十分夸张，“你知道有一种樱花叫秋樱花吗？秋樱花就应该在秋天开放。”

“可是樱花巷的樱花，不是秋樱花呀！”我说，“我在今年春天，还来过樱花巷，樱花开得好灿烂，也有好

多人来赏樱花。"

"谁规定了樱花在春天开了，在秋天就不能再开？"菲娜又一次转移话题，"笑猫，你知道吗，我现在过得特别有成就感。"

我看着菲娜，她浑身上下都是樱花的标志，难道她的成就感是因为这些？

"我现在是我们樱花巷的樱花精灵，我家女主人是我们樱花巷的樱花仙子；我白天帮女主人卖花冠、卖花环，晚上看她数钱……"

原来这就是菲娜的成就感？我无可非议，因为忠实主人是狗的天职。我还是揪住我的疑问不放："菲娜，你告诉我，去年的秋天，樱花巷的樱花也开了吗？"

菲娜怔怔地看着我，不知怎么回答。就在这时，她的女主人，那个打扮成樱花仙子的姑娘在高声叫她，叫她回家。

# 樱花小精灵

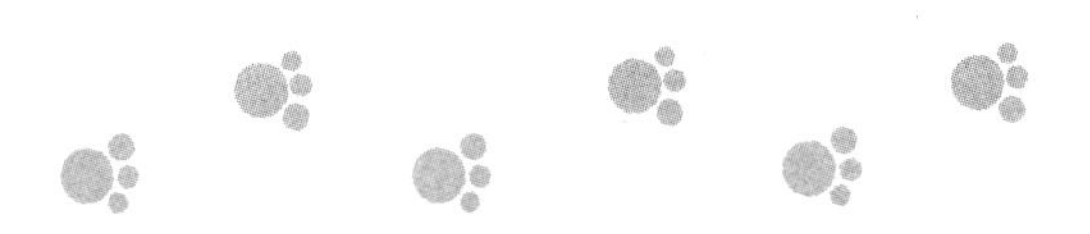

## 第二天

天气：昨夜的风声和雨声，犹如一首幽怨低回的秋歌，一直吟唱到黎明。风雨过后，今天比昨天更冷了。

昨夜里，听着风声和雨声，睡得格外香甜。黎明时分，风停了，雨住了，我也醒了。

经过一夜的风吹雨打，地上一定铺上了厚厚一层落叶，踩着落叶散步是我的一大爱好。

虎皮猫还在睡梦中，我悄无声息地走出了秘密山洞。天还没亮，但天空是透明的。

来到梧桐道，地上果然铺上了一层厚厚的落叶。我并不是来得最早的，因为我听见有沙沙的声音，还

看见有一个球影在落叶上滚动。

我向球球老老鼠道早安："早啊！"

"必须早啊！"球球老老鼠说，"再晚一点，落叶就被扫走了，哪里还听得见沙沙的声音。"

"你说，这一夜的风和雨，樱花巷的樱花……"

球球老老鼠抑扬顿挫地念起诗来："几度苦雨随风舞，漫天花雨化花泪……"

我想象着如花雨般的樱花瓣在风雨中飘飞零落的情景，说："如果真是这样，那就证明樱花巷的秋樱花是真的。"

"笑猫老弟，你也怀疑那是假的？"球球老老鼠意味深长地，"我俩呀，真是心有灵犀啊！"

我和球球老老鼠向樱花巷跑去。

幽静的樱花巷空无一人，却并没有我想象中的花雨飘零，地面上连一片花瓣都没有。

"不会吧？"我说，"是谁这么早就把樱花巷打扫得这么干净？"

"还有一种可能，就是根本没有花瓣从树上落下来。"

“怎么可能呢？”我说，“刮了一夜的风，下了一夜的雨，怎么可能没有一片花瓣从树上落下来？”

“看我的！”球球老老鼠口中念念有词，“三宝啊三宝——”

三宝是我和虎皮猫生的小猫，是球球老老鼠的最爱，但他只能在心中默默地爱着，只要他嘴里念着“三宝啊三宝”，身上便生出无穷的力量。这时，只见球球老老鼠腾空而起，他的身体撞上了开满樱花的树枝。

树枝摇晃着，可我没看见有一片花瓣落下来。

落下地来的球球老老鼠弹跳到我的身边：“笑猫老弟，这树上有蹊跷。”

我爬上一棵樱花树，满树繁花，可我感受不到一丝丝生命的气息。我伸出爪子抓了一把枝上浅粉色的樱花，一片花瓣都没有抓下来。我又伸出舌头去舔，花瓣虽然柔软，但是没有一点味道。再咬一下，根本咬不动。我看了又看，终于看出了一点破绽：树枝上缠绕着细细的铜丝，原来满树的樱花都是绑在树枝上的。

我从树上下来，对球球老老鼠说："可以肯定，树上的樱花都是假花。"

"这是何必呢？"球球老老鼠感叹道，"春天有春天的美，秋天有秋天的美，为什么一定要将秋天变成春天呢？"

"我也这么想。"我说，"我们去找菲娜来问问，看她怎么说。"

"说起菲娜，我怎么觉得她变了呢？"

我也觉得菲娜变了。除了那声经典的叫声没有变，现在的菲娜，在我和球球老老鼠的眼里是那么的陌生。

"以前，我对她一直都是有好感的。"球球老老鼠接着说道，"尽管她的外表花里胡哨的，但她有一颗真诚的、富有正义感的心。"

球球老老鼠说得没错。想当年，登上白玉塔的虎皮猫遭到了翠湖公园一众猫们的羡慕嫉妒恨，他们用尽各种卑劣手段对付她，一身正气的菲娜见义勇为，义正词严地揭露那些虚伪猫的险恶用心。就从那时起，我对这只个性张扬、我行我素的贵妇狗充满了好感。

天亮了，樱花巷的繁荣景象，在清冷的天空的衬托下，显得那么不协调。

这时，菲娜和她的女主人出现在樱花巷口，这里是游人来参观樱花巷的必经之处。还像昨天一样，菲娜打扮成樱花小精灵，她的女主人打扮成樱花仙子，推着一辆花车，车上堆满了樱花做成的花冠和花环。当然，樱花是假的。

“菲娜！菲娜！”

“噢，天哪！”菲娜朝我跑来，但她似乎并不想见到我，“笑猫，你怎么这么早就来了？”

笑容出现在我的脸上，我知道菲娜喜欢听赞美的话：“你好勤快啊！”

“我才不想勤快，我还没睡够呢！”菲娜在我耳边说，“那一车花冠和花环，今天都得卖完。”

我直截了当地：“菲娜，你知道这树上的樱花都是假的吗？”

“我知道呀！”菲娜十分淡定地，“那又怎么样？”

“你知道还骗人？”

“我骗人？噢，天哪！”菲娜反问我道，“你以为人是那么好骗的吗？”

我不太明白菲娜的话：“你的意思是……”

“我的意思，是个人都知道，现在的樱花都是假的。这树上开的樱花，还有我家女主人卖的花冠和花环，都是假的。”

既然都知道是假的，为什么还有那么多人来，难道他们都喜欢假的东西吗？

“人比我们猫和狗复杂多了。”菲娜不以为然地，“假象能满足人各种各样的欲望。”

我还是不明白：“花那么大的力气，把假花一枝一枝缠到树上，有意思吗？”

“怎么没意思？”菲娜说，“这么一弄，樱花巷不就出名了吗？出了名，就有好多人慕名而来。人旺财旺，樱花巷的人都发财了。”

“可我只看见你的女主人发财了。”我说，“我昨天看见，几乎每个来樱花巷赏樱花的人都买了花冠和花环……”

“笑猫，你只看见了明处的，没有看见暗处的。”菲娜在我耳边说，“告诉你吧，我家女主人是这樱花巷里赚得最少的。”

这时，游人开始多起来。菲娜匆匆与我告别。只见她一出现在人群里，便吸引了所有人的目光。他们相信菲娜就是樱花小精灵，傻傻地跟着菲娜来到花车跟前，傻傻地掏出钱来买花冠、买花环，傻傻地将花冠戴在头上、将花环套在脖子上，傻傻地侧着脸自拍……

菲娜说我只看见了明处，没有看见暗处。那么，暗处在哪儿呢？

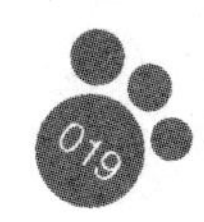


# 起跑线加油站

## 第三天

天气：这是我最爱的深秋的天空。蓝天的蓝，蓝得像没有一点杂质的宝石；白云的白，白得像纯洁无瑕的莲花。

菲娜真的变了。

我记得她以前总是爱憎分明，疾恶如仇；现在明知弄虚作假，她也无动于衷，甚至同流合污。因为菲娜的变化，我这两天的心情也变得十分郁闷。

“笑猫老弟，你不要再为菲娜烦恼了。”球球老老鼠最喜欢开导我，“菲娜长期生活在弄虚作假的环境里，连她自己都分不清什么是真，什么是假。”

我问球球老老鼠：“菲娜说我们看见的是樱花巷

的明处，没有看见樱花巷的暗处。这话是什么意思呢？”

“这话是什么意思，想是想不出来的。”球球老老鼠和我一样对“樱花巷的暗处”有兴趣，“笑猫老弟，我们还不如去樱花巷找答案。”

我和球球老老鼠来到樱花巷，樱花巷已经被游人挤得水泄不通。巷口那里人更多，不用看都知道，那是樱花小精灵吸引了这些人的眼球，在买她家女主人的花冠和花环。

人流在樱花巷里缓慢地前行。真搞不懂现在的人，假花有什么好看的，如此流连忘返？

球球老老鼠总爱往人多的地方钻，他已经被好多人踢过了，人们都当他是一个脏不拉几的皮球。我担心球球老老鼠会被踢死，便对他说："我们沿着墙根走。"

沿着墙根，我和球球老老鼠一路畅通无阻。我注意到，人流堵在一个地方，停滞不前，是什么吸引了他们？

我又重新挤进人群里，在他们的脚边钻来钻去，竖起耳朵，听他们在说些什么——

“这门上挂的牌子叫‘起跑线加油站’，油都没有，

起跑线
加油站

怎么加呀？”

“好像是把笨孩子变成聪明孩子的意思。”

“真有这么神吗？走，看看去！”

我跟着那些人的脚步，向右拐进一座两层楼的白房子里。这里有许多穿白大褂的人，人人称他们为“老师”。老师们忙着解答人们的各种问题，说得眉飞色舞，唾沫横飞。

有人问：“通过你们的治疗，笨孩子变成聪明孩子的成功率是多少？”

穿白大褂的老师答：“百分之九十九。”

有人问：“为什么还有百分之一的失败率呢？”

穿白大褂的老师答：“心诚则灵，心不诚则不灵。”

大多数人关心的是用什么样的治疗手段，能把笨孩子变成聪明孩子。

穿白大褂的老师答：“笨也是一种病。医病就要吃药扎针。”

有带着孩子的人问：“我想知道，我这孩子算不算笨？”

穿白大褂的老师答："这需要专业的测试。您先去缴费吧！"

缴费的地方也排成了长队。那些带着孩子的男男女女，手里拿着厚厚一叠钞票，心甘情愿地缴了费，然后来到一间小黑屋的门前，等着进去接受测试。

小黑屋的门开了，从里面走出一个胖男孩。一位胖女人迎上去："小胖子，你笨不笨？"

胖男孩两眼茫然地看着胖女人："我怎么知道我笨不笨？"

胖女人叫起来："花了那么多钱进去做测试，你说，是怎么做的？"

胖男孩说："那小屋子里黑咕隆咚的，只有一盏小小的射灯，射在一个手术台上……"

"啊！"胖女人惊叫道，"要给你做手术？"

"一个人都没有，谁给我做手术啊？"胖男孩说，"只有一个很吓人的声音命令我躺上去，我就上手术台上躺着……"

胖女人急问："然后呢？"

“然后，我在手术台上躺了一会儿，还是那个很吓人的声音命令我下了手术台。接着，我看见又一盏小射灯亮了，射着一个小窗口。小窗口那里放着一张纸，那个很吓人的声音命令我拿上我的测试报告离开，我就出来了。”

“我看看你的测试报告。”胖女人一把抢过胖男孩手上的一张纸，“什么意思，就一个圆圈圈？”

胖女人抓住一个穿白大褂的老师就问：“这圆圈圈是什么意思？”

穿白大褂的老师指着诊断室的方向：“诊断室里有专家权威专门为您解答圆圈圈的意思。”

诊断室的门前也排着长长的队伍。排队的人的手上都捏着一张测试报告，但都怕被别人看见。

诊断室的门开了，我看见球球老老鼠一滚就进去了，我也溜了进去，藏在窗帘下面。

诊断室里坐着一位目光尖锐、面相精明的男人。看不出他的年龄，但他身上的权威气质让人望而生畏。听人对他的称呼，他果然是这里最有权威的人，有人称他

“专家”，也有人称他“站长”——这里是“起跑线加油站”，“站长”就是这里的最高领导。

我看接连进来几个人，权威看了他们的测试报告，诊断的结果就一个字：“笨。”

被诊断为“笨”的孩子家长都很沮丧，权威十分淡定地宽慰道：“笨就是一种病，有病治病。”

“笨”孩子家长把权威看作是“笨”孩子的救星：“能治好吗？”

“当然。”权威惜字如金，“只要好好吃药，好好扎针。”

权威在处方单上龙飞凤舞地写了几行字，递给“笨”孩子家长，又说了两个字：“缴费。”

“笨”孩子家长拿着处方单,心甘情愿地缴费去了。

轮到胖男孩进来了。和他一起进来的还有那个胖女人。胖女人向权威递上测试报告：“专家站长，这上面的圆圈圈是什么意思？”

权威就说一个字：“笨。”

胖女人是个急性子：“有什么办法吗？”

权威十分淡定地："你不要急……"

"不是我，我不笨！"胖女人赶紧声明，指着胖男孩，"是我儿子笨！"

权威惜字如金，还是那句话："笨就是一种病，有病治病。"

"怎么治呢？"

权威还是惜字如金："扎针吃药。"

胖女人半信半疑："扎针吃药就能让人变聪明，这……这太不可思议了。"

权威指指挂满墙壁的各种奖状和证书，还是惜字如金："你要相信我。"

胖女人瞄了几眼墙上金碧辉煌的奖状和证书，赶紧说："我们相信！我们相信！"

"相信就好。"权威提起笔来，在处方单上龙飞凤舞地画了几个符号，递给胖女人，"去缴费！"

胖女人接过处方单一看，惊叫道："哎哟，这么贵？"

"你嫌贵？"权威不高兴了，"这可是我发明的专利，能改变一个人的命运……"

“不是,我不是这个意思。”胖女人急忙解释道,“我们今天到樱花巷是来看樱花的，身上没带多少钱，我们明天再来。”

胖女人带着胖男孩离开了诊断室，我和球球老老鼠也跟着出来了。在二楼的阳台上，这里才是赏花的好地方。

看着花影下人头攒动，我终于明白樱花巷为什么要造假：没有这秋天开放的樱花，哪会吸引这么多人到樱花巷，更不会有这么多人走进樱花巷的这座二层楼的白房子里。

这才是樱花巷的玄机所在。

# 遇见安琪儿

## 第四天

天气：翠湖公园已是一派肃杀的景象，树叶几乎落尽，光秃的枝丫直指天空，苍劲又悲凉。

球球老老鼠听不懂人话，我把昨天在诊断室里听到的那些对话，原原本本地讲给球球老老鼠听了，问道："你活了这么大岁数，听说过'笨'是一种病吗？"

"纯属无稽之谈。"球球老老鼠说，"自从盘古开天地，是人就会生病。病有千种万种，唯独'笨'不是一种病。可悲的是，我看那些人都相信了，真是笨啊！"

"他们能不相信吗？"我说，"那个起跑线加油站的站长，他是个权威啊！你昨天在那间诊断室也看见了，

那墙上挂满了奖状，挂满了证书，都是用来证明他是权威啊！”

“权威说笨是一种病，怎么会有这样的奇谈怪论？”见多识广的球球老老鼠也懵了，“如今的世道，越来越搞不懂了。”

“我倒明白得很。”我说，“权威坚持说笨是一种病，有病就得治病，要治病就得花钱。”

“原来玄机在这里！”球球老老鼠回忆着昨天在诊断室看见的情景，“我很想知道，权威开出的药方，到底是什么药。”

这也是我想知道的。

我和球球老老鼠又来到了樱花巷。今天是周末，人比昨天更多，都快把樱花巷挤爆了。我们避开人流，沿着墙根往前跑，一直跑进那座两层楼的白房子里。

在这座白房子里，二楼的小黑屋是最重要的地方，孩子笨不笨，都是在这个小黑屋里测试出来的。来测试的人真多，排成了长队。在长长的队伍里，我看见了一个熟悉的身影——我在马小跳的家里见过她，她

的家和马小跳家在一层楼上，我还去过她家，她的名字叫安琪儿。

安琪儿是和她妈妈一起来的。我喜欢安琪儿，但不喜欢她的妈妈。看得出来，安琪儿是被她妈妈硬拉来的，她一直在问她的妈妈："我又没有病，你把我带到医院里来干什么？"

安琪儿妈妈想讨好安琪儿，所以显得很有耐心："这里不是医院，你没看见这门前挂着一块牌子吗？牌子上写着'起跑线加油站'，妈妈带你到这儿来，就是想给你加加油。"

安琪儿问她妈妈："我为什么要加油？"

"因为妈妈四十岁才生下你，所以你一生下来就不如别的孩子，已经输在了起跑线上。"

安琪儿又问她妈妈："什么叫起跑线？"

"这……这……"安琪儿妈妈也说不上来，她的耐心没有了，声音也高起来，"安琪儿，你别再问东问西，马上要轮到你进去了。"

安琪儿还是要问："进去干什么？"

安琪儿妈妈没好气地："进去做测试，看你笨不笨。"

"我不笨。"安琪儿说，"马小跳和韩力哥哥都说我不笨。"

"马小跳和韩力哥哥又不是权威，他们说你不笨，你就相信了？"安琪儿的妈妈不喜欢马小跳，所以提起马小跳，她心里就有气，"我不许你再说话，等着进去吧！"

过了一会儿，安琪儿进了黑屋子；又过了一会儿，安琪儿从黑屋子里出来了。她手里拿着测试报告，她妈妈抢过来看了又看："就一个圆圈圈，是笨还是不笨呢？"

在穿白大褂的"老师"的指引下，安琪儿妈妈带着安琪儿来到诊断室。进诊断室也要排队。我和球球老老鼠抢在安琪儿和她妈妈之前进了诊断室，还是藏在窗帘下面。

安琪儿妈妈拉着安琪儿进来了，墙上的奖状和证书吸引了她的目光。她一边看，嘴里一边发出很响的

啧啧声："名不虚传，果然是个真正的权威。"

权威用手指敲着桌上的测试报告，嘴里吐出一个字："笨。"

"哦，圆圈圈就是笨。"安琪儿妈妈煞有介事地，"其实，不用测试，我也知道我们家孩子笨。"

“笨就是一种病。”权威惜字如金，“一种能治好的病。”

“有您这句话，我就放心了。”安琪儿妈妈两眼闪闪发光，“我家安琪儿就交给您了，您说怎么治就怎么治。需要做手术吗？”

“不需要。”权威说，“吃吃药，扎扎针就能好。”

安琪儿妈妈半惊半喜：“吃药扎针就能好？”

权威面无表情，说话的声音冷冷的：“药不是一般的药，是一种汤药，叫‘智慧汤’；针不是一般的针，叫‘聪明针’。智慧汤和聪明针都是我发明的专利。”

“啊，智慧汤！聪明针！”安琪儿妈妈惊喜无比，“我家安琪儿有救了！”

权威不想再跟安琪儿妈妈费话，在处方单上龙飞凤舞地画了几个符号，递给她：“去缴费！”

安琪儿妈妈接过处方单，乐颠颠地带着安琪儿走出了诊断室。

我和球球老老鼠也跟着跑出了诊断室。因为跑得

急，球球老老鼠绊住了安琪儿妈妈的脚，安琪儿妈妈把球球老老鼠一脚踢开，“臭皮球！”

“啊，笑猫！”安琪儿看见了我，她把我抱起来，“妈妈，这只猫会笑！”

“安琪儿，说你笨，你还真笨！猫怎么会笑呢？”

“妈妈，你才笨呢！”安琪儿说，“刚才那个人说的话，都是骗人的话，可你还相信！”

“安琪儿，住嘴！”安琪儿妈妈去捂安琪儿的嘴，“那个人可是权威，权威能骗人吗？”

“就是骗人！”安琪儿说，“连我们小孩子都知道，只有好好学习，才能让人变得聪明，变得智慧。”

“智慧汤和聪明针可是权威发明的专利，那么多的证书和奖状都挂在墙上，你没看见啊？”安琪儿妈妈坚信不疑，语重心长地对安琪儿说，“安琪儿，你要乖乖地喝智慧汤，乖乖地扎聪明针，不久的将来，你就会变得跟你们班丁文涛一样聪明，一样智慧。”

安琪儿却说：“我不想跟丁文涛一样，我想跟马小跳一样。”

一提起马小跳，安琪儿妈妈就来气："不许你跟马小跳一样！把猫放下，我们去缴费。"

安琪儿紧紧抱住我不放。安琪儿妈妈把我从安琪儿的怀里抢过来，扔在地上，拉着安琪儿缴费去了。

# 聪明针和智慧汤

第五天 天气：秋天的烈日，阳光闪耀刺眼。中午时分，体感温暖，特别是在樱花巷里，假樱花开得轰轰烈烈，仿佛又回到早春二月。

今天，我和球球老老鼠又来到樱花巷的白房子里。我们是为安琪儿来的。

下午四点过后，安琪儿妈妈带着安琪儿来了。安琪儿还背着书包，说明放学还没回家，就被她妈妈接到这儿来了。

“小朋友，先跟姐姐到这边来喝智慧汤！”

一位穿白裙子的年轻姑娘牵着安琪儿的手，来到一个圆形的房间里。安琪儿妈妈也要进去，被年轻姑娘挡

在门外："您不能进去！"

"我想看看智慧汤是什么样子的。"

"您不能看！"年轻姑娘拉住安琪儿妈妈，"智慧汤是我们站长用30年的时间研究出来的秘方……"

安琪儿妈妈和年轻姑娘还在拉拉扯扯，我和球球老老鼠趁机溜了进去。

圆形的房间里空空的，只在中间摆着一把小椅子，小椅子前面放着一张小桌子。年轻姑娘将安琪儿安置在那把小椅子上，然后从柜子里端出一个金色的小罐子，放在安琪儿的面前。

"这是什么？"

"这就是智慧汤。"年轻姑娘揭开金罐子的盖儿，命令安琪儿，"喝吧！"

"我不想喝。"安琪儿想哭的样子，"我想出去。"

年轻姑娘使劲按住安琪儿："你喝了就让你出去。"

安琪儿问："如果我不喝，你就不让我出去吗？"

"是的。"年轻姑娘将金罐子端到安琪儿的嘴边，"快喝吧！"

安琪儿闻了一下，叫道："啊，是姜！"

"胡说！"年轻姑娘低声呵斥，"这是智慧汤。"

"真的有一股姜味儿。"安琪儿说，"我最不喜欢吃姜。"

"是甜的，你先尝一口。"

安琪儿皱着眉头尝了一口，笑了，"真的是甜的，是可口可乐的味道。"

"胡说！"年轻姑娘又低声训斥道，"这是智慧汤！"

等安琪儿将金罐子里的智慧汤喝光了，年轻姑娘才牵着安琪儿的手，开了门，将安琪儿交给她妈妈："她很乖，喝了一罐子智慧汤。"

"妈妈，那个小罐子是金色的。"

安琪儿妈妈问道："智慧汤是什么味道的？"

"有一股姜味儿，还有一股可口可乐的味道。"安琪儿背上书包，"妈妈，我们可以回家了吗？"

"你还没扎针呢！"安琪儿妈妈耐着性子，"妈妈不是告诉过你吗？我们每天到这里来，先喝智慧汤，然后扎聪明针，坚持一个疗程，一个疗程十五天。十五天以

后，你就变成聪明的安琪儿了。”

“如果十五天以后，我还没有变聪明呢？”

“呸呸呸，乌鸦嘴！”安琪儿妈妈急了，“我花了那么多钱买智慧汤，买聪明针，一个疗程以后，你一定要变聪明。”

安琪儿的样子像在哭，又像在笑。她被带进一间房子里，这里允许她妈妈进去看护她。

我和球球老老鼠又溜了进去，还是藏在窗帘下面。

房间里还有几个孩子，大的有十二三岁，小的只有五六岁，他们的头上扎着好多针，目光呆呆的，脸上都挂着泪珠儿。

“小妹妹，过来！”一个长着鹰钩鼻子的老头儿，指着那几个头上扎着针的孩子问安琪儿，“你看他们像什么？”

安琪儿说：“像刺猬头。”

“小妹妹真聪明！”

“妈妈，你听见没有？”安琪儿拉着她妈妈往外走，“老爷爷说我真聪明，我不用扎聪明针了，我们回家

吧！”

鹰钩鼻老头儿一把拽住安琪儿，抚摸着她的头：“刺猬头多好玩儿啊！我来给你扎一个刺猬头。”

安琪儿妈妈也帮鹰钩鼻老头儿摁住安琪儿，鹰钩鼻老头儿在安琪儿的头上扎了三十六根针，把她妈妈心疼得嘴里不停地发出“哎呀哎呀”的叫唤声。

“好啦！”安琪儿扎满针的头，就像鹰钩鼻老头儿的杰作，他退后两步欣赏着，“好可爱的小刺猬！看看看，小妹妹笑了……”

“别哭！别哭！”只有安琪儿妈妈知道，安琪儿是在哭，她哭起来像在笑，“你一哭，妈妈也想哭。妈妈四十岁才生下你，把所有的希望寄托在你身上，可是，你一生下来就比别人笨……”

看妈妈快要哭了，安琪儿这才安静下来，听她妈妈和鹰钩鼻老头儿聊天——

安琪儿妈妈：“为什么要把聪明针都扎在脑袋上？”

鹰钩鼻老头儿：“看一个人是不是聪明，就看他的脑子好不好使。笨，就是因为脑子不好使，所以要把聪

明针都扎在脑袋上。”

安琪儿妈妈觉得鹰钩鼻老头儿说得有道理，频频点头。

安琪儿妈妈："为什么要扎三十六根针，这里面有什么讲究吗？"

鹰钩鼻老头儿："当然有讲究。有智慧的聪明人，脑袋里都有三十六计。通过三十六根聪明针，将三十六计扎进笨人的脑袋里，笨人不就变聪明了吗？"

安琪儿妈妈觉得鹰钩鼻老头儿说得很有道理，频频点头。

安琪儿妈妈："多久能见到效果？"

鹰钩鼻老头儿："取了针以后，马上就能见到效果。"

鹰钩鼻老头儿忙着去给那几个先来的孩子取针，最后给安琪儿取针。我见他从安琪儿头上取下来的针银光闪闪，又细又长，一共三十六根，整整齐齐地码放在盘子里。

"好了，小刺猬，现在你可以回家了！"

安琪儿问鹰钩鼻老头儿："您知道刺猬的身上有多少根刺吗？"

鹰钩鼻老头儿愣了一下："几千根吧？"

安琪儿追问道："几千是多少？"

鹰钩鼻老头儿随便说了个数字，想蒙安琪儿："3000 根。"

"错！"安琪儿说，"刺猬身上的刺多则 18000 根，少则 17000 根。"

"恭喜你啊！"鹰钩鼻老头儿对安琪儿妈妈说，"针刚取下来，您女儿就有效果了！"

"真是立竿见影啊！"安琪儿妈妈开始憧憬未来，"安琪儿，你看你第一次喝智慧汤，第一次扎聪明针，就有明显的变化。一个疗程下来，你肯定比你们班的丁文涛还厉害。"

安琪儿不高兴了："妈妈，为什么你总拿丁文涛和我比？"

安琪儿妈妈说："因为丁文涛是你们班最优秀的孩子。"

"可是，我不喜欢丁文涛。"

"你不喜欢丁文涛，那是因为你笨。"安琪儿妈妈一生气，嗓门儿就高，“现在，丁文涛是你学习的榜样；等这个疗程一结束，你就是丁文涛的竞争对手。走着瞧吧！”

跟着安琪儿和她妈妈走出起跑线加油站，已是暮色苍茫，热闹的樱花巷也渐渐清静下来。

# 又见马小跳

这天晚上 | 天气：这是我见过的最美的晚霞。镶着金边的玫瑰云在西边的天空，绚烂地缭绕，就像一场又隆重又浪漫的仪式，在迎接夜幕降临。

从起跑线加油站出来，已是晚霞满天。

我们一直跟在安琪儿和她妈妈后面，跟着她们走出樱花巷，看着她们上了一辆出租车。

“我想去安琪儿家，”我对球球老老鼠说，“我想去看看安琪儿喝了智慧汤、扎了聪明针，究竟有什么变化。”

“你说现在吗？”球球老老鼠的好奇心比我更加强烈，“我们快去追汽车！”

“不用追，我们慢慢溜达着去。”

我是舍不得这么美的晚霞。我总有一种感觉，今天的晚霞，可能是这一年，我们能见到的最美的晚霞。

一路上，我们都在聊安琪儿——

“她有一个小天使的名字，她真的像小天使一样善良，一样可爱。”我对安琪儿赞不绝口，“我很喜欢这个小女孩。”

“笑猫老弟，你说心里话，你希望安琪儿有变化吗？”

“安琪儿千万不能变。”我说，“如果安琪儿变成她妈妈想要的样子，那么在这个世界上，又将少一个真正的孩子。”

我心疼安琪儿，就像我心疼杜真子一样。她们的妈妈是她们最亲的人，却又是最不懂她们的人；她们的妈妈是最爱她们的人，但又是最不知道怎么爱她们的人。这两位自以为是的妈妈，常常以爱的名义，在做着伤害她们女儿的事情。

我和球球老老鼠经常去马小跳家，安琪儿的家和马小跳的家门对门。所以，我们很容易便找到了安琪儿家

的阳台。球球老老鼠运了一口气，嘴里念着“三宝啊三宝”，纵身一跳，跳进了安琪儿家的阳台。紧接着，我也从高楼的外墙上，爬进了安琪儿的家。

安琪儿一家三口，正在饭厅的餐桌上吃饭。落地窗帘下面，正是我和球球老老鼠的藏身之地。

这时，听见有敲门声，安琪儿爸爸起身去开门，“这时候，会是谁呢？”

正是饭点儿，一般不会有人来串门。来人一定是跟安琪儿家关系很密切的人。会不会是马小跳呢？

来人果然是马小跳。他手里拿着一本书，“安琪儿，你的语文书忘在教室了，秦老师让我给你带回来。”

安琪儿妈妈不喜欢马小跳，她看马小跳横竖不顺眼。她从马小跳手中接过语文书，也不道声“谢谢”，就骂安琪儿：“丢三落四，缺心眼儿！”

马小跳转身要走，安琪儿却叫住了他：“马小跳，你猜我今天干什么去了？”

马小跳似乎对这个问题不感兴趣：“我不猜！”

“我今天喝了智慧汤，扎了聪明针。”

“安琪儿！”安琪儿妈妈想阻止安琪儿，“你怎么什么都往外说？”

安琪儿妈妈越这么说，马小跳越想听。他在餐桌边坐下来：“安琪儿，快讲给我听！”

安琪儿妈妈大喝一声：“不许讲！”

“你们有什么事瞒着我？”安琪儿爸爸生气了，“安琪儿，快讲！”

安琪儿不敢讲。她看看她爸爸，又看看她妈妈，那

样子可怜极了。在她爸爸威严的目光逼迫下，安琪儿不得不说："今天下午放学后，妈妈到学校来接我，把我带到樱花巷……"

"去樱花巷干什么？"

"昨天就去过了，妈妈说带我去看樱花。"

"荒唐！"安琪儿爸爸一拍桌子，"都快冬天了，怎么可能有樱花？昨天为什么没跟我讲？"

安琪儿小声地："妈妈不让讲。"

"快讲今天去干什么了？"

"樱花巷里有一个起跑线加油站，妈妈带我去那里喝智慧汤，扎聪明针。"

"荒唐啊荒唐！"安琪儿爸爸气得手指发抖，指着安琪儿的妈妈，"你鬼迷心窍，一天到晚瞎折腾！"

"你这叫什么话？"安琪儿妈妈哭起来，"我为我们女儿操碎了心！谁叫我四十岁才生下她，生下来就比别人家的孩子笨，就输在了起跑线上……"

一见安琪儿妈妈哭，安琪儿爸爸就慌了："你别哭，从此以后，你想怎么着就怎么着。"

“我给你讲，还真有效！”安琪儿妈妈马上不哭了，满脸喜色，讲得眉飞色舞，“安琪儿才喝了一次智慧汤，扎了一次聪明针，立竿见影，马上就见效了。”

“有这么神吗？”安琪儿爸爸仔细端详着安琪儿，“我怎么没有看出安琪儿有什么变化？”

“从外表上是看不出有什么变化，变化都在脑袋里面。”安琪儿妈妈指着安琪儿的脑袋，“这里一下开窍了。我问你，你知道刺猬身上有多少根刺吗？”

安琪儿爸爸被问懵了，眨巴着眼睛，说不出话来。安琪儿妈妈得意地：“你不知道吧？我也不知道。可是，安琪儿知道。安琪儿，你告诉你爸爸，刺猬身上有多少根刺？”

安琪儿说：“多则 18000 根，少则 17000 根。”

“听见没有？听见没有？”安琪儿妈妈提高了嗓门儿，振振有词，“你还是硕士呢！连你硕士都不知道的，我们安琪儿却知道……”

“安琪儿早就知道，这跟她今天喝了智慧汤、扎了聪明针没有关系。”马小跳说，“放暑假的时候，安琪儿

在我家看电视，我们一起看的《动物世界》，那一期演的就是刺猬，专门讲了刺猬身上有多少根刺，还讲了刺猬的天敌是狐狸，狐狸……”

“马小跳，你给我闭嘴！”安琪儿妈妈恼羞成怒，“谁让你到我们家来胡说八道的？”

“我才不想来你们家，是秦老师叫我来给安琪儿送语文书的。”

“好吧，马小跳，你等着——”安琪儿妈妈的脸都被气歪了，“十五天以后，不，十四天以后，我们安琪儿一定会变得连你都不认识。”

马小跳听不明白十四天、十五天是什么意思。我听见安琪儿在悄悄告诉他：“喝智慧汤、扎聪明针，一个疗程十五天，今天已经过了一天，还剩下十四天。”

见马小跳走了，我和球球老老鼠也离开了安琪儿的家。

# 蜜儿的眼镜

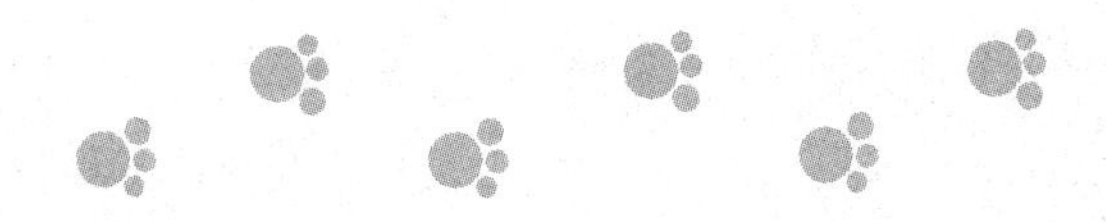

那一天

天气：相对翠湖公园的盆栽菊花，我更喜欢郊外的野菊花；色彩不是那么娇艳，朵形不是那么妖娆，在冷风中顽强地开放，别有一番野趣。

一直没有看见，金罐子里装的智慧汤是什么样子的，只听安琪儿说，智慧汤里有姜的味道，还有可口可乐的味道。

球球老老鼠最喜欢揣摩我的心思："笑猫老弟，你是不是特想看看金罐子里的智慧汤是什么样子的？"

"如果我有一双能透视的眼睛就好了。"我说，"如果有一副能透视的眼镜也行。"

"说起眼镜，我倒想起来了！"球球老老鼠两眼放光，

“小白的女主人不是有三件法宝吗？一件是那把转动时光的伞，一件是她身上的披肩，一件是挂在她胸前的眼镜。你说她的眼镜有没有透视的功能？”

我说小白的女主人到天上去了，还没回来呢。

“没回来才好！”球球老老鼠说，“就像她没把伞带上天一样，也许，眼镜也没带走。”

是呀，听小白说，他家女主人是突然被龙卷风卷上天的，也许她的三件法宝都没来得及带走。

抱着这样的侥幸心理，我和球球老老鼠一早便去了郊外。满眼秋色，只有独具一双慧眼，才能发现这深秋的美，美在含蓄，美在悲壮。那盛开在路边的野菊花，在风中散发着淡淡的清香。在奔跑中，我的身上沾着缕缕菊香。

已经能看见小白住的那幢别墅的红房顶了……看见了围在别墅外面的白色木栅栏，栅栏里的薰衣草都枯萎了，歪歪倒倒一大片，显得格外萧条。一看这无人打理的花园便知，小白的女主人还没有从天上回到人间。

别墅的大门虚掩着。我和球球老老鼠轻轻地溜了进去，直奔客厅，只见小白端端正正蹲在蜜儿平时喝下午茶时坐的那把椅子上，仰头望着窗外的天空。自从蜜儿上天以后，他就天天这样，等候他女主人的归来。

“世界上没有比狗更忠诚的动物了。”球球老老鼠无比感慨地，“我活得年纪越老，越能感悟出忠诚是一种多么可贵的品格啊！”

我们的突然造访，打断了小白对他女主人的思念，“啊，笑猫！”

“小白，你家女主人还没回来呀？”

“她已经走了九九八十一天。”小白深情又执着地，“我天天等，一定能把她等回来。”

我顺着小白的话问道：“我记得你家女主人上一次突然被龙卷风卷上天，把伞忘在家里了……”

“笑猫，原来你今天来，又想借伞。”小白还没听我把话讲完，“这一次借伞，想要干什么？”

“我不是来借伞的。”我问小白，“这一次蜜儿到天上去，有没有什么东西没带走？”

小白想了想，说："她的轮箱没有带走。"

轮箱也是蜜儿的随身之物，她出远门，总是拖着一个大红色的轮箱。

我直接问道："蜜儿的眼镜带走了吗？"

小白不那么确定地："蜜儿总是把眼镜挂在胸前，应该带走了吧。"

"万一呢，"我心存一线希望，"万一蜜儿把眼镜放在了箱子里……"

"笑猫，蜜儿的眼镜对你来说，有那么重要吗？"

"是对一个小女孩很重要。"我对小白说，"这个小女孩叫安琪儿，她很可爱，可爱得像一个小天使，可她妈妈嫌她笨，带她去喝智慧汤，扎聪明针。可是，我从蜜儿那把转动时光的伞中，看见过安琪儿的未来，她上了大学，当了老师，后来还当了作家……"

"你想知道安琪儿后来成为那么杰出的人，是不是因为喝了智慧汤，扎了聪明针？"

小白要这么理解，也可以。总之，我想知道真相。我问小白："你还记得你曾经住过的樱花巷吗？"

"我当然记得,菲娜就住在樱花巷。菲娜现在好吗?"

"樱花巷现在就是一个假象丛生的地方,菲娜长期生活在这样的环境中,她已经变了。"

我把这些天在樱花巷的所见所闻,都告诉了小白。小白听得目瞪口呆:"怎么会这样?怎么会这样呢?"

"我想,蜜儿是仙女,仙女的眼镜一定有特殊的功能,比如能看见真相的功能……"

"好吧,我去看看箱子里有没有眼镜。"

小白上楼了。过了一会儿,小白下楼来,他的脖子上挂着一副眼镜。

"啊,蜜儿的眼镜!"我惊喜无比,"她真的没带走,我的运气太好啦!"

球球老老鼠比我还激动,他一下子蹦起来,被小白看见了:"笑猫,你还是那么喜欢玩球,我记得你每次来,都带着这个皮球。"

在这个世界上,除了我和把老老鼠变成球球的万年龟,没有谁知道这个"皮球"是一只老鼠,连跟我最亲密的虎皮猫都不知道。我赶紧岔开话题:"我来试试眼

镜。”

我看见客厅的博古架上，放着一个青花瓷的带盖儿的圆罐子，里面会装些什么呢？

我戴上蜜儿的眼镜一看——啊，我看见了！我看见罐子里装满了蜡梅花瓣，金黄色的，每一片都透明。更

加神奇的是，罐子里像放电影一样，我看见了蜜儿，她在蜡梅树下，飘飞的蜡梅花瓣落在她的头上。

“这眼镜真是妙不可言。”我向小白保证，“就像上次我把蜜儿的伞借走一样，我一定按时把蜜儿的眼镜还回来。”

从别墅里出来，小白一直跟着我，很不放心的样子：“笑猫，你千万不要把眼镜弄丢了。”

“怎么会呢？”我让小白放心，“你快回去吧！”

小白还跟着我：“你一定要在蜜儿回来之前，把眼镜还回来。”

我再一次向小白保证：“我一定。你快回去吧！”

小白还有话对我说：“帮我向菲娜问声好，等我家蜜儿回来后，我会去樱花巷看她。”

我答应了小白。我知道，在蜜儿回来之前，小白是不会离开别墅的，他会每天蹲在蜜儿平时喝下午茶时坐的那把椅子上，望着窗外的天空，等候蜜儿归来。

# 卖棉花糖的小贩

第二天

天气：今天是二十四节气的“小雪”。我们这里并没有下雪，但明显地降温了。空气干燥，一些人家做了腊肉和香肠，挂在厨房的窗口上。

昨天，去小白的别墅借到了蜜儿的眼镜，在回家的路上，我迫不及待地将蜜儿的眼镜戴起来，我马上就想试试，这神奇的眼镜到底有哪些神奇的功能。

“别动！”我对球球老老鼠说，“让我看看你！”

“看看也好。”球球老老鼠很乐意让我看，“这不是优点放大镜吗？其实我身上有好多优点，你都看不见。这会儿，我让你好好看看！”

我说：“你说的只是这眼镜的一种功能，我想看

的是这眼镜有没有透视的功能，有没有看破真相的功能。”

我让球球老老鼠离我远一点，认真地看起来。

我眼前的球球老老鼠变回了他原来的样子——一只肥胖的、很老很老的老鼠。再看，我的眼前像放电影一样，出现了一幕一幕的情景：老老鼠为救黑旋风，失去了一条尾巴，万年龟往他身上吹了一口仙气，老老鼠的身体变成了一个球，就成了现在这个样子。

我把眼镜取下来。球球老老鼠蹦到我跟前：“笑猫老弟，你从我身上看见了什么？”

“我看见了真相。”我说，“这个真相就是你原本就是一只老鼠，一只很胖、很老的老鼠。我还看见你因为救黑旋风，失去了一条尾巴，万年龟认为你行善积德，功德圆满，就给你吹了一口仙气，你就变成了球球老

老鼠。”

“这眼镜真是宝贝！”球球老老鼠兴致勃勃，“无论樱花巷有多少秘密，只要戴上这宝贝眼镜，都会真相大白。”

尽管我知道安琪儿下午放了学，她妈妈才会带她到樱花巷来，可我和球球老老鼠还是一早就去了樱花巷。

今天是二十四节气的“小雪”，虽然我们这个南方城市没有下雪，但是气温明显下降。无论天气怎么变化，樱花巷的樱花还是开得轰轰烈烈，灿若云霞。

我刚戴上眼镜，马上就有游人发现了我：“啊，戴眼镜的猫！”

我被游人围住了，听见他们议论纷纷——

“这年头，连猫也近视了。”

“也许这是一只老猫，戴的是老花眼镜。”

“不是近视，也不是老花，就是耍酷。”

…… ……

此时此刻，我最怕的就是蜜儿的眼镜被人抢走。

在人们的议论声中，我猛地冲出了围观的人群。有个讨厌的人来追我，球球老老鼠跳过去想绊住他，那人飞起一脚，把球球老老鼠踢出去好远。

我要保护蜜儿的眼镜，也顾不上球球老老鼠了，赶紧跑进起跑线加油站二楼的阳台上躲起来。

过了一会儿，球球老老鼠也上来了。无论我在哪里，他总能找到我："刚才那一脚，差点没把我踢死。"

我心里对球球老老鼠充满了感激："你都是为了我才……"

"笑猫老弟，我是为了蜜儿的眼镜。"球球老老鼠说，"如果眼镜被那些人抢了去，你怎么面对小白，小白又怎样面对他家女主人蜜儿？"

想想都后怕，我这不是害了小白吗！

"如果眼镜被那些人抢去，我一次都没戴过，你说冤不冤？"

我马上给球球老老鼠戴上蜜儿的眼镜："你抓紧时间看吧！"

球球老老鼠蹦到阳台上，一声惊呼："天哪！"

我忙问道："你看见了什么？"

"我看见樱花树上，没有一朵樱花，树枝都干枯了，像干柴一样……"

再一次证明，前些日子，我爬上树看见的樱花，都是用细铜丝缠在树枝上的假花。

"啊，像演电影一样，我还看见在一个漆黑的夜晚，樱花巷开来好几辆大卡车，车上装的都是假樱花，有一个人指挥一帮黑衣人，把假樱花弄到树上……啊，这个人，我好像见过……"

我问球球老老鼠，这个人是谁。

"让我好好想想。"球球老老鼠想了一会儿，终于想起来了，"这个人就是那个权威，那个专家站长。"

我问球球老老鼠："你确定吗？"

球球老老鼠不敢马上确定："只要让我再看他一眼，我就能确定。"

我们跑到诊断室，门前的长椅上坐满了人，人人手里都拿着一张测试报告书，等候进去接受权威的诊断。

我们藏在椅子下面，等待机会。

机会来了，里面的人出来，外面的人进去，趁那开着门的一瞬间，我们溜了进去，藏在一盆绿色植物的后面，正对着身穿白大褂的权威，把他看得清清楚楚。

我悄声问球球老老鼠："是他吗？"

"是他！"球球老老鼠十分肯定地，"绝对是他！"

我戴上蜜儿的眼镜，看着看着，我就笑起来——眼前这个道貌岸然的权威，原来是个在学校门口卖棉花糖的小贩。那时的他，虽然也像现在一样目光尖锐、面相精明，但他身上没有现在这种让人望而生畏的权威气质，头发也是乱七八糟的。

再看下去，像演电影一样，眼前这个道貌岸然的权威出现在一个场景里——

权威动作娴熟地在做棉花糖，像变戏法一般，空空的两手，不一会儿就变出一大团如白云般的棉花糖，把刚放学的孩子们都吸引到他的身边来。来学校接孩子放学的家长们，不让他们的孩子买棉花糖，不知权威给家长们说了些什么，家长们的态度全变了，争先恐后地买

棉花糖……

我笑出了声，球球老老鼠来抢我的眼镜："我看看！让我看看！"

我和球球老老鼠争起来，弄出的动静终于惊动了权威，他站起来，向我们藏身的地方走来。

"你快走，我来对付他！"

球球老老鼠蹦起来，在权威跟前蹦啊蹦，蹦啊蹦，蹦得权威晕头转向，我趁机逃之夭夭。

# 姜和可口可乐

## 第三天

天气："小雪"过后，下了一场小雨。雨水淋在身上，冰凉冰凉的。人们穿上鲜艳的防寒服，萧条的街景又有了亮色。

今天，在去樱花巷之前，我问球球老老鼠："你确定昨天那个权威没有看清我？"

"肯定没有。我一直在他跟前蹦，蹦得他晕头转向的，他哪看得清你？唉，要不是你笑出声，也不会暴露……"

昨天，球球老老鼠就救了我两回，我问他是怎么死里逃生的。

"言重了，说不上死里逃生。"球球老老鼠轻描淡

写地，“我看你逃得没影了，便从窗口跳了下去。”

“一天当中，你两次救我，我都不知道怎么感谢你。”

“你不用感谢我，你就给我讲讲你昨天看到了什么，看得笑出声来？”

我又笑起来，告诉球球老老鼠，起跑线加油站的站长原来是个卖棉花糖的小贩。

“不可思议。卖棉花糖的小贩怎么就成了专家，成了权威了呢？”

“我想他身上肯定有常人不可及的才能。”我分析道，“比如他会揣摩人的心理。”

球球老老鼠问我：“你怎么看出来的？”

我说：“他在学校门口卖棉花糖，开始的时候，家长都不愿给孩子买棉花糖，不知他给家长说了些什么，家长们就像被灌了迷魂汤，争先恐后地买起他的棉花糖。这说明什么？这说明他把家长们的心思都琢磨透了！家长们都想自家的孩子聪明，都想自家的孩子比别人家的孩子强，他对家长们说的那些话，你都能想象出来。”

球球老老鼠想象道：“他会说，吃棉花糖能让孩子

变聪明。于是，有一个家长买了，其他家长哪能让别人家的孩子比自家的孩子聪明？于是，争先恐后地都买了。”

球球老老鼠的想象十分合理，我接着分析道：“后来，他的棉花糖越卖越多，他的野心也越来越大——卖棉花糖赚的是小钱，他要赚大钱。他觉得世界上最好骗的人，就是那些嫌自己的孩子不够聪明的家长，怕自己的孩子输在起跑线的家长。于是，他锁定目标，就赚这些人的钱，在樱花巷办起一个起跑线加油站。”

“佩服啊，笑猫老弟！”球球老老鼠夸我的推断无懈可击，“我们快去樱花巷，安琪儿这时候该放学了。”

我们直奔樱花巷的起跑线加油站。因为有昨天出的那个小意外，今天格外小心。本想找到安琪儿喝智慧汤的那个房间的窗口进去，可那个圆形房间根本没有窗口。为什么要把孩子们关在这么隐秘的房子里喝智慧汤？我们对装在金罐子里的智慧汤更加好奇了。

我们终于等来了安琪儿和她的妈妈。还是那位年轻姑娘在把门，趁她拦着安琪儿妈妈不让进，注意力都在安琪儿妈妈身上，我们跟着安琪儿进去了。当然，安琪儿并不知道。

年轻姑娘锁了门，牵着安琪儿的手让她坐在屋子中

央的椅子上，然后小心翼翼地从柜子里端出一个小金罐子，放在安琪儿面前的小桌子上："喝吧！"

安琪儿揭开小金罐子的盖儿，皱起了鼻头："这智慧汤挺好喝的，就是有一股姜味儿。我从小就不喜欢吃姜。"

"快喝吧！"年轻姑娘催促道，"外面还等着好多小朋友要进来喝智慧汤呢！"

就在安琪儿说话的时候，我戴上蜜儿的眼镜，看见了金罐子里的智慧汤，颜色像红葡萄酒；再看下去，金罐子里出现了一块姜，一瓶可口可乐。

安琪儿不喜欢姜，但她喜欢喝可口可乐，她连最后一滴智慧汤都喝进了肚子里。

"小朋友真乖！"年轻姑娘牵着安琪儿的手，将她送到门口，"明天见！"

喝了智慧汤，安琪儿妈妈又拉着安琪儿去扎聪明针。还隔着几个房间，便听见从扎聪明针的房间里传来一阵阵孩子的哭叫声。安琪儿瞪着一双恐惧的眼睛，向后退缩。安琪儿妈妈厉声问道："你还想不想成为

聪明的孩子？”

安琪儿点点头又摇摇头。

“哎哟，气死我啦！”安琪儿妈妈捶着胸口，“我的小祖宗，你想永远这么笨吗？”

安琪儿被她妈妈推进了扎聪明针的房间。

鹰钩鼻老头儿在安琪儿的头上扎了三十六根针，安琪儿的眼睛里满是泪水，但是她没有哭叫。

安琪儿的妈妈死死抓住安琪儿的双手不让她动弹。房间里还有七八个孩子，他们的头上都扎着三十六根针，他们的眼睛里都含着泪水，他们的双手都死死地被大人握着，不让他们动弹。

有一个胖乎乎的小女孩问安琪儿："给你扎针的时候，你痛不痛？”

安琪儿说："痛。"

“那你为什么不叫呢？”

“我怕我妈妈心疼。”安琪儿说，“我一叫，我妈妈的心就会疼。”

胖女孩妈妈对安琪儿妈妈说："瞧您女儿多懂事啊！

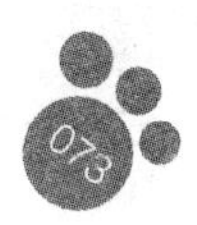


一点都不笨。”

“怎么不笨？”安琪儿妈妈说，“她班上有个同学叫丁文涛，能够把成语词典都背下来，跟人家一比，她简直笨死了。”

“真是人比人，气死人。”胖女孩妈妈说，“我女儿班上有个男孩子叫林子聪，那真是一个神童啊！他能……”

安琪儿叫道：“林子聪是我的表哥！”

“林子聪怎么会……”胖女孩妈妈问安琪儿妈妈，“您女儿说的是真的？”

“是真的，林子聪是我最小一个妹妹的孩子。”安琪儿妈妈无比感慨地，“我小妹妹二十四岁生了一个小神童，我四十岁生了一个笨女孩，真是天壤之别啊！”

“我不笨。”安琪儿说，“我们欧阳校长，我们林老师，还有韩力哥哥，都说我不笨。”

“你怎么不笨？不笨的孩子能问出‘什么叫起跑线’这么笨的问题吗？”

胖女孩的妈妈接着安琪儿妈妈的话说：“我这笨

女儿也问我，‘这里是起跑线加油站，为什么一滴油都看不见？’你说笨不笨？”

两位妈妈好像找到了知音，她们笑啊，笑啊……

我简直听不下去了，趁她们笑作一团，我和球球老老鼠离开了那个房间。

回到翠湖公园，我看球球老老鼠有心事的样子：“你怎么了？说出来我听听。”

“笑猫老弟，我好像看见了大师……”

“大师”是我和球球老老鼠对万年龟的尊称。我问球球老老鼠：“你在哪里看见的？”

“你记得在那个扎针的房间里，有一个高柜子吗？他就藏在那个高柜子的下面。”

我毫不怀疑球球老老鼠的话。万年龟喜欢闻孩子味儿，在那个房间扎针的孩子，其实都是孩子味儿十足的孩子，是不是那里的孩子味儿将他吸引来的？

# 救救安琪儿

这天晚上

天气：初冬的夜晚，寒风凛冽，水墨色的夜空有几颗寒星在闪烁。一钩细细的弯月，在薄薄的云层中若隐若现。

夜深人静，我和球球老老鼠又来到樱花巷，潜入安琪儿扎聪明针的那个房间。

房间里没有开灯，窗户也被厚厚的窗帘遮得严严实实的，从外面透不进一丝光亮。但对猫和老鼠来说，是没有黑暗的，因为老鼠总是在夜里出来，猫要捉老鼠，练就了一双在黑夜里如见白昼的眼睛。

我一眼就看见了房间里的那个高柜，我刚趴下来要看万年龟是不是藏在柜子底下，就听见一个苍老低

沉的声音："笑猫，好久不见！"

啊，真的是万年龟！

只见万年龟从高柜子底下爬出来，球球老老鼠滚到万年龟的跟前："大师，您还记得我吗？"

"我当然记得。你是那只行善积德的好老鼠，后来功德圆满，我把你变成了现在这样子。"万年龟问球球老老鼠，"后来，你的身子有没有现过原形？"

"没有！没有！"球球老老鼠说，"我经常跟笑猫在一起，受他的影响和熏陶，我洗心革面，坚决不做亏心事，功德一直是圆满的，所以，我越来越像一个球球……"

球球老老鼠说起来就没完没了，我打断他的话，问万年龟："大师，还是孩子味儿把您吸引到这里来的吗？"

"是呀，这里本来有很浓很纯正的孩子味儿，可是，却让我高兴不起来。"万年龟的语气有些忧伤，"这些可爱的孩子为什么在这里受折磨？头上扎那么多针，针针都扎在我心上啊！"

万年龟毕竟不在人间生活，人间好多奇奇怪怪的事情，他都不知道。我告诉他，到这里来扎针的孩子，在

他们的父母眼中，都是笨孩子。现在的父母，最怕自己的孩子是笨孩子，只要能把笨孩子变成聪明孩子，花多少钱、用什么手段，他们都不在乎。

“这是一个什么地方？”万年龟问道，“这是一个给孩子治病的医院吗？”

“这地方叫‘起跑线加油站’。”

万年龟又问道：“什么叫‘起跑线’？”

“不知道。”我赶紧解释道，“不是我不知道，是所有人都不知道，连那些整天念叨着‘不要让孩子输在起跑线上’的家长们，也不知道‘起跑线’是什么意思。”

万年龟忧心忡忡：“这人间怎么这样乱啊！”

“还有更乱的。”我说，“这起跑线加油站的站长，原来是个卖棉花糖的小贩，不知道从哪里弄来一堆证书奖状，挂在墙上，就成了专家权威。他说笨是一种病，吃药扎针就能治好的病。药是一种汤药，叫智慧汤，其实就是可口可乐加姜熬成的……”

万年龟不知道什么是可口可乐。我告诉他：“可

口可乐是从外国来的饮料，小孩子都喜欢喝。”

万年龟问我：“姜和可口可乐跟智慧有关系吗？”

“没有，一点关系都没有，那都是骗人的。”我说，“您看每个孩子头上都扎着三十六根针，这个所谓的专家权威说，聪明人起码要有三十六个计谋，所以这三十六根针叫聪明针。”

“荒唐！荒唐至极！”万年龟痛心疾首，“有一个小女孩身上的孩子味儿特别浓，我记得我以前见过她……”

“您见过的！您见过的！”我说，“她叫安琪儿，她跟马小跳是邻居……马小跳，您还记得吧？”

“怎么不记得？”说起马小跳，万年龟兴奋起来，“马小跳身上的孩子味儿最浓，是我最喜欢的孩子。有一个暑假，我还去过他家里……啊，我想起来了，我就是在马小跳家里遇见安琪儿的，我还见过她的妈妈，是一个自以为是的女人，总是以爱的名义，做着伤害自己孩子的事情，愚蠢啊！”

我不止一次听安琪儿妈妈对安琪儿说：“如果早知道你这么笨，我都不会生下你。”

我觉得安琪儿特别可怜，“其实，安琪儿一点都不笨。如果她笨，她长大以后怎么会当老师，会当作家？”

听了我的话，万年龟十分惊讶：“笑猫，你怎么知道安琪儿长大以后的事情？”

说来话长。我给万年龟讲仙女蜜儿，讲蜜儿那把能转动时光的伞，讲蜜儿那副神奇的眼镜。

“多么可爱的女孩儿啊！”万年龟对我说，“我担心安琪儿会毁在她妈妈的手里。任由这个女人折腾下去，安琪儿身上那些最珍贵的品质，都会被她折腾掉。没了这些珍贵的品质，安琪儿以后怎么给孩子当老师，怎么为孩子写书？”

万年龟的担忧，也是我的担忧，后果真的很严重。万年龟法术无边，我请求他救救安琪儿：“像安琪儿这样天真纯洁的孩子已经不多了，她应该顺其自然地长大。大师，您救救安琪儿吧！”

“我也想救她，可是——”万年龟犯难了，“如果安琪儿身处险境，我不费吹灰之力就能把她救出来。

可她现在是在她妈妈爱的包围中，真不知道该怎么救她。”

“难道我们就这样眼睁睁地看着安琪儿每天到这里来受折磨吗？”

万年龟突然问我：“骗子最怕什么？”

我说：“真相。”

“走，我们去骗子的诊断室。”

还和原来一样，我和球球老老鼠趴在万年龟的背上，闭上眼睛，万年龟穿墙而过；一睁眼，已经在那个假权威假专家的诊断室了。

我让万年龟看挂满墙上的证书和奖状：“那骗子就是靠这些证书和奖状骗人的。”

只见万年龟吹了一口气，墙上的证书和奖状不翼而飞，顿时消失得干干净净。

# 骗子最怕真相

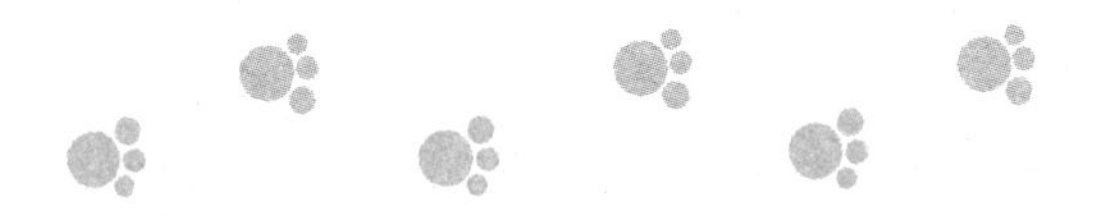

## 第四天

天气：细小的雨珠在寒风中飞扬，落在身上冰凉冰凉的。在这种阴冷的天气里，与在数九寒天里也没什么区别。

昨夜里，我们一直潜伏在那个权威——不，那个骗子的诊断室里，只等今天看好戏。

天刚亮一会儿，就听见走廊上响起了脚步声，有人哼着歌儿过来了。脚步声越来越近，在诊断室门前停住了，接着听见钥匙插进锁孔的声音——啊，那骗子来了！

骗子哼着歌儿进来了，看来他的心情不错。

骗子朝他的办公桌走去。突然，他的歌声戛然而止——他看见他的办公桌上，放着几块姜和几瓶可口

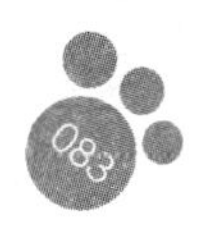


可乐。

骗子盯着姜和可口可乐看了好久，他的脸色已经惨白，眼睛里充满了恐惧。再抬头一看，原来挂在墙上的证书和奖状全没有了，现在满墙都是一团一团的棉花糖。

正如我说的那样，骗子最怕的就是真相。他抓起办公桌上的电话，气急败坏地吼道："出大事儿了！"

紧接着，我听见一阵急促的脚步声，一个看不出是男人还是女人的人进来了，声音也是不男不女的："站长，出什么大事了？"

骗子没有马上回答，而是站起身去关上门，才指着桌上的东西说："你看，这是什么？"

不男不女的人一看桌上的姜和可口可乐，吓得腿都软了："啊，暴露了……"

骗子又指着墙："你再看那里！"

不男不女的人一看满墙的棉花糖，那样子像笑又像在哭："啊，您的底细也暴露了……"

"这正是我把你叫来的原因。"骗子说，"在我们

Cola

这里，只有你原来和我一起卖过棉花糖。”

“我是和您一起卖过棉花糖，可是那时候也有许多人买过您的棉花糖。”不男不女的人在骗子的耳边问道，“是不是有人认出您来了？”

“不可能！”骗子十分自信，“我早已脱胎换骨，我从头到脚都是专家权威的气质，你从哪里能看出我是卖棉花糖的？”

“看不出来。”不男不女的人唯唯诺诺，“从头到脚都看不出来。”

“还有——”骗子对不男不女的人怀疑重重，“我们这里所有的智慧汤，都是你关在秘密小屋里亲手熬制的，除了你，没人能进去，谁会知道智慧汤的配方是姜和可口可乐呢？”

“照您这么说，我跳进黄河都洗不清了。”不男不女的人马上又给骗子提供了一条线索，“正因为秘密小屋只能我一人进去，会不会有人好奇，想知道秘密小屋里的秘密，然后就进去了……”

“怎么进去的？难道你没有锁门吗？”

“绝对锁了门。”不男不女的人反应很快，“站长，您这里锁门了吗？”

“当然锁了。”

不男不女的人指着桌上的姜和可口可乐，还有满墙的棉花糖：“既然您锁了门，这些东西是怎么进来的？”

骗子被不男不女的人问住了，不再言语。

“站长，我是您的患难兄弟啊！您怀疑我，我的目的和动机是什么呢？”不男不女的人竭力想证明自己的清白，“自从我们不卖棉花糖了，我跟着您一起弄了这个起跑线加油站，大把大把地赚钱，我还没赚够呢，怎么可能去干出卖您的事呢？”

“不是你干的，也是我们内部的人干的。”骗子解除了对他患难兄弟的怀疑，“今天关门排查，一个一个地查。走！”

骗子和他的患难兄弟气势汹汹地冲出门外，发誓要把暴露真相的人排查出来，查个水落石出。

我们初战告捷。骗子今天要关门，至少今天可以不骗人了，安琪儿和那些所谓的笨孩子，今天也不用再受

折磨了。

我和球球老老鼠趴在万年龟的背上，闭上眼睛，万年龟驮着我们穿墙而过。一睁眼，我们离开骗子的诊断室，已在二楼的阳台上，听见楼下人声鼎沸。往下一看，小白楼前围满了人，都在看小白楼前的那棵樱花树。原来满树的樱花也不翼而飞，只剩下光秃秃的枯树枝，格外引人注目。

我笑了。这是我干的。

昨夜里，为了向万年龟证明樱花巷的樱花树，树上的樱花都是假的，我爬上小白楼前的这棵樱花树上，扯开缠绕在树枝上的细铜丝，将假樱花都拆下来了。

看热闹的人越来越多。听见人们的议论，我又笑不出来了——

人甲："这棵树是樱花树吗？"

人乙："肯定不是，没看见樱花树都开着花吗？"

人丙："不是樱花树，怎么会在樱花巷呢？不是说樱花巷的树，清一色的都是樱花树，所以才叫樱花巷吗？"

人丁："这棵树肯定是樱花树。昨天，我还亲眼看见树上开满花呢，怎么一夜之间，花就没了……"

人戊："你们看这起跑线加油站平日里人气多旺啊，今天也关门了，都是被这树害的。凶多吉少啊！"

人们说东道西，说来说去，就是没有一个人说真话，说在这样的季节里，不开花的樱花树才是正常的樱花树，才是真正的樱花树。

"唉——"万年龟长长地叹了一口气，"这人间的事，我是越来越搞不懂了。"

我想起贵妇狗菲娜曾经对我说的话：长期生活在弄虚作假的环境里，慢慢地就不知道什么是真，什么是假了。

我对万年龟说："我认识一条住在樱花巷的贵妇狗，她的名字叫菲娜。她曾经说过一些不明不白的话来暗示我，我现在明白了，那意思是樱花巷在虚假的繁荣下，隐藏着许多不可告人的秘密。"

"好吧，我就想看看这里到底还有什么秘密。"

万年龟说完，便把头缩进他那厚厚的、长着甲骨文的壳里。

# 万年龟的隐身术

## 第五天

天气：初冬的太阳，每一缕阳光都像金线一样金贵。我们这地方一到冬天就难得见到阳光，只要有阳光的地方，就有晒太阳的人。

昨天，起跑线加油站关门一整天。

下午，我们在小白楼的阳台上，看见安琪儿妈妈带着安琪儿来喝智慧汤、扎聪明针。见大门紧闭，便嚷开了："出什么事了？为什么突然关门了？"

"太好啦！"安琪儿却很高兴，"我今天不用扎聪明针了。"

"安琪儿！"安琪儿妈妈厉声喝道，"你不想做聪明孩子吗？"

陆陆续续，又来了好些带“笨孩子”来喝智慧汤、扎聪明针的家长，他们把打听来的信息告诉安琪儿妈妈：“就是因为这棵树，一夜之间，树上的樱花都没有了，这是不好的预兆啊！所以关门了。”

“那……明天呢？”

“我们明天再来吧！”

家长们都带着自家的“笨孩子”走了，都把希望寄托在明天，也就是今天。

今天下午的放学时间，家长们又都带着“笨孩子”来了，见小白楼的门还是紧闭着，他们先是有礼貌地敲门，然后是焦急地拍门，最后是愤怒地冲进小白楼，结果是人去楼空。

“笨孩子”的家长绝望了，哭的哭，喊的喊，他们预付的钱都打了水漂。

“飞来的横祸啊！”

“真是倒了大霉！”

安琪儿妈妈却拿安琪儿出气：“都怪你，你如果像丁文涛那么聪明，也不会遇到这种倒霉事！”

安琪儿妈妈拉着安琪儿走了。看她那怒气冲冲的样子，完全失去了理智。我们都很担心安琪儿，想帮她，可又怕被她妈妈发现。万年龟说："从现在起，我给你们俩施隐身术，这样就不怕被人发现了。"

"太好了！"球球老老鼠比我还高兴，"给我们施了隐身术，我们就可以想干什么就干什么，反正别人看不见。"

万年龟告诫球球老老鼠："我给你施隐身术，是为了救安琪儿，你可不能胡作非为。"

球球老老鼠毕恭毕敬地："大师的话，我都牢牢记住了。"

我有一个担心，担心我接受了万年龟的隐身术，从此我能看见虎皮猫和胖头、二丫、三宝，他们却看不见我了。想想一个妻子看不见她亲爱的丈夫，孩子们看不见他们慈爱的爸爸，会怎样地难过？

"不必有这样的担心。"万年龟说，"我会随时解除施给你们的法术。"

万年龟往我身上吹了一口气，往球球老老鼠身上

吹了一口气，说：“好了，现在谁也看不见你们俩了。”

我和球球老老鼠迫不及待地想要试试万年龟的法术。我们大摇大摆地走向熙熙攘攘的人流，果然没有一个人发现我们。球球老老鼠还来个恶作剧，他故意去撞一只穿高跟鞋的脚，只听一声惊叫，那穿高跟鞋的脚跳起来，“有鬼！有鬼！”

“哪里有鬼？”

“鬼在哪里？”

人们对这个被吓得魂飞魄散的女人嗤之以鼻：“神经病！”

球球老老鼠得意扬扬。我提醒他别忘了大师说的话，我们还是赶紧去救安琪儿。

我们追上安琪儿，紧跟在她的身后。一路上，安琪儿妈妈骂骂咧咧，安琪儿哭哭啼啼。经过一幢小红楼前，安琪儿妈妈停住了脚步，读着挂在小红楼上的招牌：“小天才培训基地。”

安琪儿问她妈妈：“这里是干什么的？”

“这里是培养小天才的地方。”一位戴着精致的眼镜、

模样像教师的中年妇女不知从什么地方冒出来，和颜悦色地问安琪儿，“小朋友，你想做小天才吗？”

安琪儿摇头：“我不想。”

戴眼镜的中年妇女自称“贾老师”：“告诉贾老师，你为什么不想？”

安琪儿说：“都说我们班上的丁文涛是小天才，我才不想成为他那样的人。”

“安琪儿，你想气死妈妈吗？妈妈做梦都想你成为丁文涛那样的小天才。”安琪儿妈妈向贾老师倾诉道，“我女儿很笨，因为我四十岁才生下她……”

“笨一点没关系！没关系的！”贾老师十分热情，变戏法般地变出一张照片来，“看，这位博士是我儿子，小时候也是很笨的，他就是在这里接受了专门的培训，后来成为小天才，轻轻松松就考上了大学，考上了研究生，考上了博士……”

“真的？”安琪儿妈妈完全相信了，“小天才真的是可以培养的？”

“当然可以，我儿子就是一个成功的典范。只

是……”

贾老师故意不说了，她在等眼前的这条大鱼上钩。

安琪儿妈妈果然上钩了，她急问：“只是什么？”

贾老师终于把那句话说出来了：“只是培训的费用有点高。”

“钱不是问题。”安琪儿妈妈豪气冲天，“只要能把我家安琪儿培养成小天才，哪怕节衣缩食，哪怕倾家荡产，我也觉得值！”

“像您这种有远见的好妈妈真是太少了！”贾老师拉着安琪儿妈妈，“走，我带您去见见贾博士，您跟他一定有许多共同语言。”

安琪儿妈妈问：“贾博士是谁？”

“贾博士是小天才培训基地的创建人，他本人就是一个天才。”

贾老师一路说着，领着安琪儿和她的妈妈，进了那幢小红楼，上了二楼。楼道两边有很多门。贾老师介绍说，小天才培训基地都是一对一教学，就是一个老师只教一个学生，所以教室很小，所以培训费很贵。安琪儿

妈妈连声说："贵得有道理！贵得有道理！"

楼道尽头，有一个双开门的房间，我估计这就是天才贾博士的办公室了。所以，门一开，我们便进去了。

办公室很大，里面却没有人。贾老师向安琪儿妈妈解释说："贾博士在准备隆重的见面仪式，请您稍等一下。"

安琪儿见墙上挂着一个巨大的镀金相框，是一幅戴着博士帽的肖像。贾老师介绍道："您看，这就是贾博士。"

安琪儿妈妈肃然起敬，毕恭毕敬地给戴着博士帽的肖像行了一个礼。

这时，一个身穿黑大褂、头戴博士帽的人，从一扇隐蔽的门中走出来。他的样子和镀金相框里的肖像一模一样，他就是贾博士。

"我认识他！"球球老老鼠突然大叫一声，"他是卖耗子药的！"

贾老师正要向贾博士介绍安琪儿和她的妈妈，贾博士摆摆手，竖起耳朵："我好像听见有老鼠的叫声！"

球球老老鼠刚才说的话，人是听不懂的；在人听来，就是老鼠的叫声。

贾博士惊恐万分。他对安琪儿妈妈说："对不起，您明天再来吧！我这房里有老鼠。"

安琪儿妈妈忙说："我们不怕老鼠。"

"我怕老鼠！"贾博士下了逐客令，"快走吧！"

# 小天才培训基地

**这天晚上**

天气：半个月亮在黑色的云海里穿行，和地上的万家灯火，相映生辉。

跟着安琪儿和她妈妈从小天才培训基地出来，我马上向球球老老鼠发泄不满："都怪你，打草惊蛇！"

"唉，活了这把年纪，还是修炼不够啊！"球球老老鼠检讨道，"看来我的自控能力还有待提高。"

我忍不住笑起来："那个人真的是卖耗子药的？你老眼昏花，不会看错吧？"

"错不了。"球球老老鼠说，"有一段时间，我天天跟踪他。"

我不奇怪球球老老鼠为什么要天天跟踪他。他卖耗子药，就是想毒死球球老老鼠的子子孙孙，不仅球球老老鼠恨他，球球老老鼠的子子孙孙都恨他，所以要天天跟踪他。

“笑猫老弟，你想错了。”球球老老鼠说，“不仅我不恨他，我的子子孙孙也不恨他，甚至还很喜欢他。”

我十分诧异：“喜欢他？为什么？”

“因为他卖的耗子药都是假药，吃了不仅不会中毒，味道还特别好，我的子子孙孙都特别爱吃。”

“既然这样，你为什么还天天跟踪他？”

“完全是因为好奇。”球球老老鼠说，“我发现他从来不会在同一个地方卖耗子药，比如今天在这里卖，明天一定在另一个地方卖，总是打一枪，换一个地方。”

“说明这个人的警惕性很高。”我想起今天贾博士听见老鼠叫的反应，“难怪他对老鼠的声音那么敏感。我知道他现在最怕什么，最怕有谁知道他以前是卖耗子药的。”

“这就好玩了。”球球老老鼠意味深长地，“笑猫

老弟，你就等着看我怎么玩他吧！”

我们跟着安琪儿和她妈妈进了她们住的那幢楼。在等电梯的时候，意外地遇见了马小跳，我们一起进了电梯间。

“马小跳，我以后不用喝智慧汤，也不用扎聪明针了……”

“安琪儿！”安琪儿妈妈厉声喝住安琪儿，然后对马小跳说，“以后，我们安琪儿和你的距离会越来越大。”

马小跳不明白安琪儿妈妈的话：“什么距离？”

“一个小天才和一个淘气包的距离。”

马小跳还是不明白：“谁是小天才？”

“我们安琪儿呀！”安琪儿妈妈很得意地，“我们安琪儿参加了小天才培训基地，从那里培养出了好多小天才……”

安琪儿妈妈的话还没说完，电梯门已经开了。

我们从电梯里出来，一边是马小跳的家，一边是安琪儿的家，我看万年龟紧跟着马小跳，一定是马小跳身上浓浓的孩子味儿吸引着他，让他进了马小跳的家。我

当机立断，就在马小跳关门的那一瞬间，我进去了，球球老老鼠也进去了。

万年龟直奔马小跳的房间。在过去的一个暑假里，万年龟曾经来过马小跳的家，所以他知道马小跳的房间在哪里，那里是孩子味儿最浓的地方。万年龟长生不老的秘诀，就是喜欢闻孩子味儿。

我和球球老老鼠直奔厨房，想找点东西吃。马小跳的宝贝儿妈妈正在厨房里做饭，我闻到了一股浓浓的女人味儿。原来，喜欢做饭的女人最有女人味儿。

我找到了我最爱吃的樱桃番茄，球球老老鼠找到了他最爱吃的五香牛肉。他咀嚼的声音太大，惊动了宝贝儿妈妈，“马小跳，你在吃什么？”

马小跳从卫生间里跑出来：“我什么都没吃。”

“我怎么听见有吃东西的声音？难道是我的幻觉？”

“肯定是你的幻觉。”马小跳的爸爸马天笑先生说，“你本来就是一个活在童话里的女人。”

一家人开始吃晚饭。我和球球老老鼠尽情享受被隐身的快乐，一边在餐桌下自由地活动，一边听马小跳一

家人聊天。

马小跳："今天安琪儿告诉我，她不用再去起跑线加油站喝智慧汤，扎聪明针了。"

宝贝儿妈妈："这就对了。我一直觉得安琪儿是个很特别的女孩儿，她看起来笨，但是因为'笨'，她身上才有了别的孩子身上没有的简单、执着、专注，这些品质一定会成就她的未来。"

啊，宝贝儿妈妈真是一个有智慧的妈妈，她所预见的安琪儿的人生，正是我在蜜儿那把能转动时光的伞中看见的。

马天笑先生："安琪儿妈妈真是鬼迷心窍，好好的一个孩子，瞎折腾什么呀？"

马小跳："我好像听见安琪儿的爸爸和她妈妈在吵架。"

隐隐约约，我也听见有男人和女人吵架的声音。过了一会儿，马小跳家的门铃响了。

马小跳去开门，我和球球老老鼠跟在他后面。开门一看，是安琪儿，她可怜巴巴地对马小跳说："我

想到你们家来躲一会儿。”

马小跳拦住安琪儿不让进：“你妈妈说你马上就是小天才了，你还跑到我家来干什么？”

这时，宝贝儿妈妈也出来了。她把安琪儿迎进来，问她吃晚饭没有。安琪儿说：“妈妈没有做，她一直和爸爸在说话，说着说着就吵起来了。”

宝贝儿妈妈请安琪儿和他们一起吃晚饭，马天笑先生往安琪儿的碗里夹了好多菜。

安琪儿：“马小跳，我好羡慕你，你爸爸妈妈从来不会为你吵架。”

宝贝儿妈妈：“安琪儿，你爸爸妈妈为什么吵架啊？”

安琪儿：“我妈妈要让我去小天才培训基地，要交很多钱，我爸爸坚决不同意，他说我妈妈鬼迷心窍，天才是培养不出来的。”

马小跳笑起来，安琪儿问他笑什么。

马小跳：“刚才我爸爸也说你妈妈鬼迷心窍。”

安琪儿：“这是一个什么鬼？害得我妈妈总是嫌弃我，还没完没了地折磨我。”

安琪儿哭了，没有哭声，只是静静地流眼泪。

宝贝儿妈妈给安琪儿擦眼泪：“安琪儿，你记住阿姨对你说的话，你是最好的女孩儿，不要怀疑自己，也不要改变自己，就这样长大，你就是独一无二的安琪儿！”

安琪儿满眼是泪地看着宝贝儿妈妈，她乖乖地点头。虽然宝贝儿妈妈的话，她没有完全听懂，但她还是记住了。

# 小天才和普通孩子的区别

## 第六天

天气：轻纱般的薄雾如烟般缭绕，人朦胧，树朦胧，楼朦胧，整座城市都朦朦胧胧，有一种梦幻的感觉。

昨夜，万年龟在马小跳的房间美美地过了一夜，闻足了孩子味儿。今天是周末，马小跳还没起床，可我们不得不离开了。

我和球球老老鼠趴在万年龟的背上，闭上眼睛。万年龟驮着我们穿壁而过。我们在电梯口，又听见从安琪儿家传出来吵架的声音。

安琪儿爸爸："小天才不是培养出来的，我也不想我女儿成为小天才！"

安琪儿妈妈:“你不想，我想！你就是舍不得花钱！只要安琪儿能成为小天才，花多少钱我也不心疼。”

安琪儿爸爸：“你不是为了安琪儿好，你是为了你自己的虚荣心，为了你的虚荣心走火入魔。我再说一遍，我不同意你带安琪儿去小天才培训基地。不同意！坚决不同意！”

安琪儿妈妈：“女儿是我生的，我让她干什么，她就得干什么。安琪儿，我们走！”

安琪儿妈妈带着安琪儿从家里出来了。等电梯上来，我们一起进了电梯间。

安琪儿一副没睡醒的样子。她揉着眼睛：“妈妈，今天是周末，为什么不让我多睡一会儿？”

“睡睡睡，你就知道睡！”安琪儿妈妈用手指头戳了一下安琪儿的脑袋，“不争气的孩子！”

从电梯里出来，安琪儿妈妈拉着安琪儿朝着樱花巷的方向，一路小跑。毫无疑问，她们这是要去小天才培训基地。

雾里看花，樱花巷的假樱花更加逼真了，在雾中

若隐若现，美若仙境。

安琪儿妈妈果然带着安琪儿去了小天才培训基地。那个贾老师又不知从什么地方冒出来，拉着安琪儿妈妈的手问道："您今天是来缴费吗？"

"是呀！是呀！"安琪儿妈妈问道，"我们今天能见到贾博士吗？"

"当然能见到，只是他现在还没有来。"贾老师拉着安琪儿和她妈妈往小红楼里走，"我先带你们去缴费！"

我想阻止安琪儿妈妈去缴费，便用身体去挡她的脚步。只听哎哟一声，安琪儿妈妈差点摔一跤。她一看地上什么都没有，骂了句"真是活见鬼"，继续往前走。我看她要去缴费的决心很大，只好作罢。

到了一个封闭的小房间，四面墙都摆放着保险柜。收费的是一个看不出年龄、面无表情的女人。她递给安琪儿妈妈一张小纸条，安琪儿妈妈一看就惊叫起来："啊，交这么多？"

收费的女人说话的时候，脸上也没有任何表情："您不知道这地方收费很高吗？"

安琪儿妈妈快要哭了："我知道收费高，但我没想到有这么高！"

"您应该想到的。"收费的女人还是面无表情，"我们这里是小天才培训基地，从这里走出去就是小天才，收费高是正常的。要想收费低，就应该去普通的补习班。"

安琪儿妈妈一听有道理，豪气冲天地从包里掏出一张银行卡："刷卡！"

刷了卡，收费的女人又递给安琪儿妈妈一张小纸片，面无表情地："您先去领资料吧！"

一走出收费的小房间，安琪儿妈妈就骂安琪儿："前世我肯定欠你的，你这个收债鬼！你爸爸一直想买辆车，我都舍不得，家里的钱都花在你身上了。你成不了小天才，怎么对得起我？"

安琪儿说："妈妈，我肯定成不了小天才，你还是把钱给我爸爸买汽车吧！"

"安琪儿，你想气死妈妈吗？"安琪儿妈妈像复读机一样，开始重复她已经说过几百遍几千遍的话，

“妈妈 40 岁生下你，把一生的希望都寄托在你身上，你一定要为妈妈争口气啊！”

安琪儿妈妈说着说着就要哭。安琪儿最怕她妈妈哭，赶紧对她妈妈说：“我一定为您争口气！”

我们跟着安琪儿和她妈妈来到领资料的地方。这是一个很大的房间，里面堆满了像砖头一样厚的书，都是大部头，从地上堆到天花板上。

安琪儿妈妈以为她走错地方了，转身要走，被一个把眼镜架在鼻尖上的老头儿叫住了：“您是领资料吗？就在这里。”

安琪儿妈妈还是疑惑：“这些大部头书都是给小孩子读的吗？”

老头儿朝安琪儿妈妈翻着白眼儿：“您以为给您的孩子读儿童书，您的孩子能成为小天才吗？”

安琪儿妈妈使劲地点头。

老头儿把砖头一样厚的书，放进一辆小推车里，堆得像一座小山，让安琪儿妈妈推走。

“哇，这么多啊？”

老头儿问安琪儿妈妈："您知道小天才与普通孩子的最大区别是什么吗？"

安琪儿妈妈摇摇头。

"最大的区别是普通孩子不知道的，小天才都知道。"老头儿又问安琪儿妈妈，"知道小天才为什么比普通孩子懂得多吗？"

安琪儿妈妈像小学生一样回答："读的书多。"

老头儿满意地点头："答对了！"

安琪儿妈妈推着满满一车书，正不知往哪里去，贾老师突然又冒出来，对安琪儿妈妈说："贾博士下午才来。我建议您先把书送回家，下午再来。"

安琪儿妈妈推着一车书往回走。半路上，遇见马小跳和他爸爸，听他们说要去博物馆看蝴蝶标本展览。

"买这么多书啊？"马天笑先生从小推车上随手拿起一本书，翻了翻，"好深奥啊！给谁读的？"

安琪儿妈妈十分得意地："当然是我们安琪儿读的！"

马小跳说："这不是儿童书。"

安琪儿妈妈用鄙夷的语气说道："普通的孩子才读儿童书。"

马天笑先生问安琪儿妈妈："您读过这些书吗？"

我想安琪儿妈妈肯定没读过。真正爱读书的人，都是有智慧的人，不会像她那么愚昧。

马天笑先生又问安琪儿："你喜欢读这些书吗？"

安琪儿说："我读不懂！"

马小跳对安琪儿说："你还是跟我们一块儿去看蝴蝶标本展览吧！"

"好呀好呀！"安琪儿无比高兴地，"我最喜欢蝴蝶，我也做了好多蝴蝶标本……"

"不许去！"安琪儿妈妈厉声喝住安琪儿，"你应该去的地方是小天才培训基地！"

# 一语道破天机

## 这天下午

天气：中午过后，雾气散尽，温暖的阳光普照大地。这座城市褪去梦幻的色彩，一切又清晰起来。

中午过后，雾气散尽，温暖的阳光普照大地，这座城市又清晰起来。高楼的轮廓，落叶树遒劲的树枝，甚至人们脸上的细微表情，都看得清清楚楚。

阳光下的樱花巷，呈现出一派轰轰烈烈的虚假繁荣。周末来赏花的游人，比平时多了几倍。小天才培训基地的贾老师，像一个经验丰富的猎人，在熙熙攘攘的人流里寻找她需要的猎物，不断地将这些猎物——带着孩子的家长往小红楼里拉。

安琪儿妈妈拉扯着安琪儿，好不容易才挤进小红楼里，好不容易找到忙得不亦乐乎的贾老师，问她贾博士来了没有。

“来了，但你还得等。”贾老师急急忙忙地回答，“要见贾博士的人太多，都在排队等候接见，你也去排队吧！”

安琪儿妈妈带着安琪儿来到贾博士的办公室门前，那里果然排着人，有大人有小孩。我一看那些小孩，都跟安琪儿差不多，都是普普通通的孩子，没有什么特别之处，但都是可爱的孩子。孩子身边的大人，在我看来，没有一个像有文化的，但他们满脸都是自以为是，却掩盖不住从眼神里流露出来的焦虑和自卑。

有一个小孩突然问道：“小天才是什么样子的？”

大人们面面相觑，没有一个人能回答小孩的问题。

等候接见的人虽多，但排队的时间并不长，可见贾博士三言两语就把这些愚蠢的家长给打发了。

轮到安琪儿和她妈妈了，我们跟了进去。

贾博士还是那身打扮：头戴博士帽，身披博士褂。

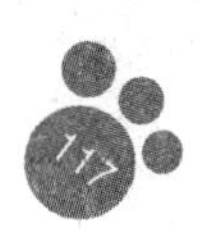


他尖嘴猴腮，但看不见他的眼睛，因为他戴着一副墨镜。难道他怕人认出他来?

安琪儿妈妈无比崇拜地望着贾博士:“贾博士，终于又见到您了！我们昨天来过的，您说有老鼠的叫声……”

贾博士皱皱眉，似乎不愿听见“老鼠”二字。他抬手阻止安琪儿妈妈再说下去:“对不起，我时间有限。您想咨询什么？”

安琪儿妈妈将安琪儿推到贾博士的跟前:“这是我的女儿，请您仔细看看她，您说她能成为小天才吗？”

“怎么不能？”贾博士夸下海口，“经过我们这里的系统培训，都能成为小天才。”

“请教贾博士，小天才有没有标准？”

“当然有标准。”贾博士故弄玄虚，“这个标准是相对的，不是绝对的。”

安琪儿妈妈眨巴着眼睛，听得一头雾水。

“我看您文化不高，就这么跟您讲吧，这个标准是比较出来的。比如，别的孩子喜欢玩游戏，您的孩

子偏喜欢思考问题；别的孩子喜欢跟小伙伴玩，您的孩子偏喜欢跟思想复杂的大人在一起；别的孩子喜欢读童话书，您的孩子偏喜欢读孩子都读不懂的书；别的孩子对什么都好奇，您的孩子偏偏对所有的事情都不感兴趣；别的孩子喜欢吃东西，您的孩子偏偏什么东西都不吃……总而言之，别的孩子往东，您的孩子一定要往西，一定要跟别的孩子不一样。您听明白了吗？”

安琪儿妈妈使劲地点头：“听明白了。”

“我也听明白了。”安琪儿说，“小天才就是不像孩子的孩子。”

安琪儿突然冒出的这句话，让她妈妈和贾博士都大吃一惊。贾博士由衷地赞叹道：“小朋友一语道破天机，真是个小天才啊！”

安琪儿妈妈听见贾博士这么夸安琪儿，比听见夸自己还高兴，她带着安琪儿心满意足地离开了贾博士的办公室。

我们没有跟着安琪儿和她妈妈离开贾博士的办公室。虽然球球老老鼠已经告诉我，贾博士以前是卖耗

子药的，而且是卖假耗子药的，但我还是戴上蜜儿的眼镜，想亲眼看看他的真实面目。

我眼中的贾博士，头上的博士帽不见了，我看见的是油光水滑的大背头；身上的博士褂不见了，穿的是一件长衫，就是一个走街串巷的江湖骗子。

那些望子成龙的家长将贾博士视为圣明，可他们在贾博士的心目中却是愚蠢透顶的人，贾博士从骨子里瞧不起他们，总是三言两语就把他们打发了。打发完了，他一边摘掉博士帽、脱下博士褂，一边对贾老师说："老婆啊，还是你高瞻远瞩，说现在最好赚的钱，是家长的钱，他们都愿意把钱花在孩子身上。真是好日子才开头

啊！以后的钱，我们赚都赚不完。”

啊，原来贾老师是一个托儿，她的真实身份是这个卖假耗子药男人的老婆！

我戴上蜜儿的眼镜往贾老师身上看，就一个烫着方便面头、身穿大花裙的中年大妈。我悄声地告诉球球老老鼠：“这女的是卖假耗子药男人的老婆。”

只听球球老老鼠惊呼一声：“我见过她！”

“什么声音？”贾博士的脸色大变，“我又听见了老鼠叫！”

贾老师四处搜寻，“哪里有老鼠？你现在闻鼠色变，神经过敏。”

“不是神经过敏，是不好的预兆。”看得出来，贾博士是个多疑的人，“是不是已经有人知道了，我以前是卖耗子药的，而且是假耗子药？”

“你想多了。”贾老师说，“你先回家吧！我找人来把你这办公室彻底清扫一遍，让老鼠没有藏身之地。”

贾博士惊慌失措地离开了他的办公室。我和球球老老鼠紧跟着他，跟着他上了他的汽车。

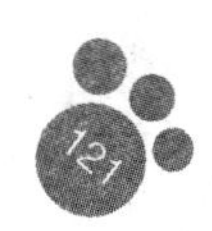


# 老鼠们的狂欢会

天气：暮色苍茫，却有几抹瑰丽的晚霞亮在天边，给这个初冬的黄昏，添上了一些诗意，一些暖意。

贾博士亲自开车，我和球球老老鼠就在副驾驶座上，所以我能清楚地看见他握方向盘的手在发抖，头上冒出一颗一颗的汗珠。这么冷的天气还冒汗，一定是冷汗吧！

贾博士的家在一幢高档公寓里。跟着他进了家门——哇，简直像一座金碧辉煌的皇宫，把我们的眼睛都炫晕了。球球老老鼠又惊呼一声："天哪！一个卖耗子药的，居然住这么豪华的房子！"

球球老老鼠说话的声音，又被贾博士听见了，他魂飞魄散，像僵尸般的直挺挺地倒在沙发上。

“什么意思？”球球老老鼠问我，“他犯病了？”

“他听见了你说话的声音。”我说，“老鼠就是他的心魔。”

我问球球老老鼠：“你刚才说你见过贾博士的老婆，在哪儿见的？快给我讲讲。”

“因为贾博士从来不在同一个地方卖耗子药，他老婆每次都会出现在围观的人群里，所以我在不同的地方都见过她。”球球老老鼠回忆道，“她混在人群里，每次都是她第一个买耗子药，而且一买就是好几包。别的人看她买了，也跟着买……”

啊，原来她一直就是一个托儿！

正说着贾博士的老婆贾老师，贾老师回来了。她一进门就说：“我让人把你的办公室彻底地清扫了一遍，根本没有什么老鼠。”

“老鼠都跑到家里来了。”贾博士惊魂未定，声音颤抖，“一直叫……”

贾老师一看贾博士魂飞魄散的样子，也被吓着了："老公，你真的病了？"

"我没有病，我是遭报应了。"贾博士说，"我现在终于相信，人在做，天在看。善有善报，恶有恶报……"

"可我们早已不卖假耗子药了呀！"贾老师不明白，"你还怕什么呢？"

"我们现在做的事情，跟卖假耗子药的性质是一样的，你说我能不怕吗？"

贾老师还是不明白："我们现在做的事情，已经跟老鼠没有一点关系，老鼠为什么要来纠缠你？再说啦，你以前卖的耗子药都是假的，没有毒死过一只老鼠。如果老鼠懂得感恩，应该感激你才是呀！"

我听了贾老师的话，大笑起来。球球老老鼠问我笑什么，我说："贾博士和他老婆正在讲你坏话呢！"

"讲我坏话？"球球老老鼠气得蹦起来，"看我不玩死他！"

"老婆，我又听见了老鼠的声音！"贾博士从沙发上滚到地上，"真的听见了……"

这次，贾老师也听见了。她趴在地上看沙发底下，“在哪儿呢？”

我把贾老师的话翻译给球球老老鼠听：“她问你在哪儿呢？”

“在这儿哪！”

球球老老鼠一边大叫着，一边在贾博士身边蹦跳。贾博士捂住耳朵：“我受不了了！我受不了了！”

就这么蹦呀，跳呀，叫呀……球球老老鼠一会儿在贾博士身边，一会儿在贾老师身边，直把两口子折磨得死去活来。他们双双跪在地上，像鸡啄米一样地磕头，“老鼠呀老鼠，虽然我们以前卖耗子药，可全部是假药，没有毒死过一只老鼠。你们如果还有一颗感恩的心，应该感激我们呀……”

我把贾博士两口子说的话，翻译给球球老老鼠听：“他们说，如果你们老鼠还有一颗感恩的心，就应该感激他们……”

“感恩？”球球老老鼠停止蹦跳，“好吧，我这就去叫我的子子孙孙来感激他们。”

球球老老鼠让我去给他开门。我爬到门上拧开了防盗门上的锁。防盗门太厚，我使出好大的劲，才把门拉开一条缝，让球球老老鼠钻了出去。

“我怎么听见有开门的声音？”

“啊，门怎么打开了？”贾老师已经被球球老老鼠折磨得晕头转向，“难道我刚才进来没关门？”

跪在地上的贾博士站起来：“现在好像没有老鼠的声音了？”

“真的没有了。”贾老师说，“这跪一跪，磕磕头，还真管用！”

“看来老鼠是被我们感动了。”贾博士一副万事大吉的样子，“开香槟庆祝！”

贾博士真的开了一瓶香槟。只听砰的一声，起码有半瓶香槟酒从瓶子里喷到了天花板上，贾博士将剩下的半瓶香槟酒倒进两只高脚杯里。

贾博士和贾老师举起酒杯碰了一下，祝酒词是：“珍爱生命，远离老鼠，干杯！”

他们在干杯的时候，我也在心里对他们说：你们就等着吧，好戏还在后头。

这是一个美丽的月夜。宁静的夜空，明净的月亮，催人进入梦乡。好人做好梦，坏人做噩梦。

贾博士和贾老师在白天受了惊吓，纠缠他们的老鼠终于离开，他们以为可以睡个安稳觉了，但刚睡着没一会儿，噩梦般的事情便发生了——

球球老老鼠带着他的子子孙孙来了。我爬到门上拧开门锁，浩浩荡荡的老鼠队伍冲了进来。顷刻间，贾博士的家遍地是老鼠，有的跳到椅子上沙发上，有的跳到桌子上柜子上，更有猖狂的吊在水晶吊灯上荡起秋千来，这里简直就成了老鼠们的狂欢会。

老鼠们的吵闹声，吵醒了贾博士和贾老师，他们从卧室里出来，打开客厅的灯，一看水晶灯上吊着好几只老鼠，吓得腿一软，瘫倒在地。

球球老老鼠蹦到贾博士身边，只听见他高声喊道：“你们都过来！看见没有，这个人就是你们的恩人！你们能活到今天，多亏这个人卖的耗子药都是假药。你们要学会感恩，快给恩人磕三个头！”

咚！咚！咚！

密密麻麻的老鼠齐刷刷地给贾博士、贾老师磕了三个响头。我一看贾博士和贾老师，已昏死过去。

# 一夜之间白了头

## 第二天

天气：连着几个艳阳天，气温却每天都在下降。在这百花凋零的初冬，傲寒的菊花，却将这个城市装扮得万紫千红。

球球老老鼠的子子孙孙在贾博士家狂欢一夜，直到天亮之前，才一哄而散。

贾老师比贾博士先苏醒过来，只听她一声撕心裂肺的尖叫，我和球球老老鼠跑过去一看——啊，一夜之间，贾博士的头发全白了！

“老公，老公，你醒醒！”贾老师使劲地摇着贾博士，“老鼠们都走了！真的都走了！”

贾博士直挺挺地躺在地上，一动不动。

贾老师去厨房端来一盆冷水，泼在贾博士的脸上。贾博士一激灵，醒了。

贾老师哭起来："老公啊，一夜之间，你的头发全白了……"

"出来混，总是要还的。"贾博士抓住自己的头发，"这是报应啊！我以前不相信，现在总算相信了。"

"天哪，这日子怎么过啊！"贾老师哭天喊地，"如果老鼠天天来，还让不让人活啊……"

贾博士比他老婆还要绝望："我现在是被老鼠缠上

了，真是生不如死啊！”

“我就想不通，为什么我们在卖耗子药的时候，老鼠都没来找我们，现在不卖耗子药了，老鼠反而来找我们了？”

“可能是这个原因。”贾博士分析道，“我们以前卖的耗子药不仅是假的，味道还很好，老鼠们都爱吃，甚至吃上瘾了。后来，我们不卖耗子药了，老鼠们就到处找我们，现在终于在樱花巷找到了我们。”

“你的意思是——”贾老师顺着贾博士的思路往下说，“老鼠们这样纠缠我们，折磨我们，是想逼着我们再去卖假耗子药？”

“完全有这种可能。”

“我可不同意！”贾老师坚决反对，“我再也不想过那种日子了。”

“我们现在过的日子与以前过的日子，性质完全是一样的，都是骗人的日子。”贾博士说，“只不过我们现在的骗术更高大上，被骗的人更容易上当，骗来的钱更多。你看财务室的那几个保险柜，钱都装不下

了……唉，都是这些钱惹的祸，钱就是祸根啊！”

“你的意思是——”贾老师又顺着贾博士的思路往下说，“如果我们没有这些钱，就不会惹祸……”

“一针见血啊！”贾博士问他老婆，“你说有钱的日子好，还是没钱的日子好？”

贾老师想了想，说：“没钱的日子，吃不好，穿不好，住不好，但是睡得好；有钱的日子，吃得好，穿得好，住得好，但是睡不好。”

“没钱的日子睡得好，那是因为心里没鬼——安心；有钱的日子睡不好，那是因为心里有鬼——闹心。”

贾老师问：“那么多有钱人，难道人家都闹心吗？”

“有钱人也分两种。”贾博士分析道，“一种是取财有道的有钱人，一种是发横财的有钱人。”

贾老师问：“我们属于哪一种有钱人？”

“你自己就能判断出来。”贾博士启发道，“日子过得安心，那就是取财有道的有钱人；日子过得闹心，那就是发横财的有钱人。”

贾老师明白了：“这闹心的日子什么时候才是尽头

啊？”

“我也发愁啊！你看我一夜之间就白了头，以后……除非……”

贾博士好像说不出口的样子。贾老师急问：“除非什么？快说呀！”

“除非我们金盆洗手——不干了！”

说着说着，天就亮了。

“我们从今天起就不干了。”贾博士对贾老师说，“你赶紧去樱花巷……”

贾博士在贾老师的耳边说了什么，我没听见。贾老师听完贾博士在她耳边的嘀咕，匆匆忙忙要出门。我对球球老老鼠说：“跟上！”

我们跟着贾老师来到樱花巷的小天才培训基地。贾老师直奔那个摆满保险柜的小房间，砰的一声关上门，把我和球球老老鼠关在了门外。

“我知道她想干什么。”我对球球老老鼠说，“那屋子里的保险柜装的全是钱，她想卷款逃跑！”

我刚说完，贾老师推着一个巨大的轮箱从小房间里出来了。我们跟着她上了车，车开出樱花巷，往贾博士家的方向开去。

贾老师推着巨大的轮箱回到家，满头白发的贾博士问："都拿了？"

"都拿了。"贾老师说，"连昨天收的钱都拿回来了。"

贾老师打开箱子——哇，里面全是钱，一摞一摞，摆得整整齐齐。这里也有安琪儿妈妈的钱——安琪儿爸爸想买汽车她都舍不得的钱。我对球球老老鼠说："不能让他们把钱卷走！"

"这好办，看我的！"

球球老老鼠蹦到贾博士身边，在他耳边大嚷大叫："骗子！骗子！骗子！骗子！"

"我又听见老鼠的声音了……"贾博士两手捂住耳朵，在地上滚来滚去，"我受不了啦……我要死了……"

贾老师也听见了老鼠的声音，不绝于耳，把她折磨得死去活来，"我也不想活了！"

球球老老鼠在贾博士和贾老师之间蹦来蹦去，完全是停不下来的节奏。

“老鼠没有走，还在这屋里。”贾博士的声音压得很低，“老鼠能看见我们，我们看不见老鼠。刚才，我估计老鼠看见钱了……”

“所以，这钱也不能要了。”贾老师顺着贾博士的思路往下说，“把这些钱都退回去？”

“不甘心哪！可有什么办法呢？”贾博士痛心疾首，“不退不行啊！老鼠肯定不会放过我们。”

贾老师锁上轮箱，推着又出门了。

我们跟着贾老师，又回到樱花巷的小天才培训基地。贾老师把装满钱的大轮箱又推进那个摆满保险柜的小房间，砰的一声，把门关上了。

“笑猫老弟，你说她在里面干什么？”

“不知道。”我对球球老老鼠说，“先等一会儿。”

过了一会儿，贾老师拿着一张写满字的大白纸出来了，贴在小房间的门上。

球球老老鼠问我：“她这是什么意思？”

我能听懂人话，但是不识字，所以贾老师什么意思，我也不知道。

# 状元作文本

## 第三天

天气：刮了一夜风，把坚守到最后的枯叶，也从树上刮了下来。只有樱花巷的樱花树，树上的樱花连一片花瓣儿也没被风刮下来。

贾博士的老婆贾老师贴在门上的那张纸，纸上到底写的是什么呢？

陆陆续续有人来看那张纸，有的人会读出声来，原来是要退还培训费。我们一直守在那个摆满保险柜的小房间门口，真的看到有人拿着退还的钱从里面出来。

“这些人都应该感谢你。”我对球球老老鼠说，“你又行善积德了。”

“我怎么看这些人手里拿着钱，脸上却并不高兴呢？”球球老老鼠问我，“他们嘴里嘀嘀咕咕，在说什么呢？”

“他们都骂你呢！”我说，“本来他们的孩子是有希望成为小天才的，这一退钱，寄托在孩子身上的希望成泡影了。所以，他们都骂你。”

“他们骂我什么？”

“骂你是缺德的小人。”

“这都是些什么人哪！我帮了他们，他们还不领情。算了，我不跟他们一般见识。”球球老老鼠说，“我发现安琪儿的妈妈没有来退钱。”

我笑道：“你是不是盼着她来骂你啊？”

“你怎么知道她会骂我？”

“我俩来打赌吧！我赌她拿到退还的钱，就会骂你。”正说着，我看见安琪儿和她妈妈正朝这边走来，我忙对球球老老鼠说，“来啦，来啦！你就等着输吧！”

安琪儿妈妈一路走，一路嚷：“干吗要退钱？干吗要退钱？昨天贾博士还说我们安琪儿有小天才的潜力呢！”

球球老老鼠问我："她在骂我吗？"

"还没呢。"我说，"你就等着吧！"

安琪儿妈妈拿到退还的钱从小屋子里出来，一点都不高兴。安琪儿却兴高采烈："妈妈，我们有钱给爸爸买汽车啦！"

"买什么买，不求上进的东西！"安琪儿立即成了她妈妈的出气筒，"贾博士都说你有成为小天才的潜质，这下全完了……"

安琪儿妈妈越说越气，索性骂开了："是哪个黑心肠的坏蛋在使坏，躲在阴暗的角落里使坏，算什么本事呀……"

"在骂你呢！"我对球球老老鼠说，"她骂你是黑心肠的坏蛋……"

球球老老鼠十分淡定，还是那句话："老天有眼，我不跟她一般见识！"

安琪儿妈妈带着安琪儿怒气冲冲地走出小天才培训基地，我们紧跟着她们。球球老老鼠问我："你说她们会去哪儿？"

我说安琪儿妈妈还会去一个受骗的地方。

“不会吧？”球球老老鼠说，“就在这条樱花巷里，她上当受骗都两次了，难道她疯了？”

我说：“这些把人生的赌注都下到孩子身上的人，都是疯子。你不信，我再跟你打一次赌。”

安琪儿妈妈不会放过任何一个人多热闹的地方。她在一个小书店的门前停住了脚步，因为那里挤了很多人，争先恐后地在买什么书。我听见安琪儿妈妈在问一个刚买到书的人：“什么书呀，这么多人抢？”

“傻呀，抢书？”那个人向安琪儿妈妈扬了扬手中的东西，“看见没有，这是状元作文本！高考状元写的作文，每个字都是状元真迹，只此一本。”

安琪儿妈妈问：“只此一本，什么意思？”

“就是一个状元只有一本，没有第二本。不过，您还可以买其他状元的嘛……”

安琪儿妈妈急了，她对安琪儿说：“你就在这儿等着我，我挤进去给你买状元作文。”

“我不要！”安琪儿说，“家里还有一柜子的作文书，我还没读完呢！”

“必须要！”安琪儿妈妈说，“这可不是一般的作文书，这是状元写的作文。”

安琪儿问：“什么是状元？”

“考试得第一名的人就是状元。你别再问东问西，我得赶紧去买！”

安琪儿妈妈像一个在战场上冲锋的战士，脸红筋胀地往人群里挤，我和球球老老鼠也跟着挤了进去。

安琪儿妈妈手里举着一把钱：“我要买！我要买！”

书店老板问：“你要买省状元的，还是市状元的，还是县状元的？”

安琪儿妈妈不明白：“还这么分啊？”

“必须分清楚，差别大了去了。”书店老板的话也说得很清楚，“省状元是一个省的高考状元，市状元是一个市的高考状元，县状元是一个县的高考状元。一个省有好多个市，一个市有好多个县，您说这状元的水平能一样吗？所以，这价钱也不一样，省状元的作文本3000元一本，市状元的作文本2000元一本，县状元的作文本 1000 元一本。”

“这么贵啊？”

“一点都不贵！”书店老板哗啦啦地翻着作文本，“这可是状元的手写真迹啊！看见这红钩钩、红圈圈、红道道没有，这都是老师亲笔啊！写人写事写景抒情，各样作文齐全，每一篇老师都按高考评分标准打了分，每一篇都在 95 分以上。”

听书店老板这么一说，想买的人几乎把小书店的门都挤破了。

安琪儿妈妈的声音最大：“我要买省状元的！”

书店老板问：“您要买多少？”

“有多少，我买多少！”

“还有二十本。”书店老板摁着计算器，“六万元，您要吗？”

“为什么不要？”安琪儿妈妈更加大声地，“六万元买二十个省状元，值！”

安琪儿妈妈抱着二十本省状元的作文本，好不容易才从人群里挤出来。

BOOK STORE
状元作文本
状元作文

“安琪儿！安琪儿！”安琪儿妈妈找到安琪儿，“你看，妈妈花了六万元，给你买了二十本省状元的作文本，都是状元的亲笔字！你看人家作文写得好，字也写得好……”

安琪儿妈妈说的话，安琪儿一句都没听进去，她就想着那六万元钱：“我爸爸的汽车又买不成了……”

“安琪儿，妈妈在你身上花多少钱都舍得。你要是把这二十本作文都背下来，等你参加高考的时候……”

安琪儿问：“我什么时候参加高考？”

安琪儿妈妈也没算过安琪儿什么时候参加高考，所以她没有回答安琪儿的问题。

# 书店里“闹鬼”

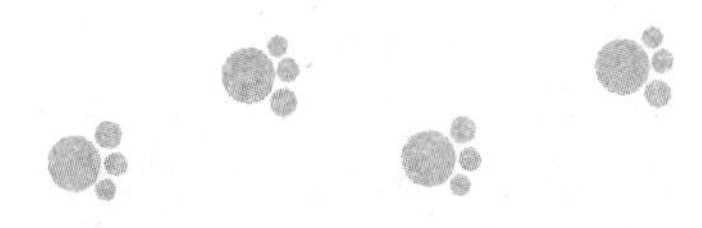

## 第四天

天气：天上一个冰冷的白太阳，白得晃眼；射向大地的光芒也是白的，冷的，没有一丝温暖。

昨天，安琪儿妈妈带着安琪儿离开樱花巷；球球老老鼠爱看热闹，可在小书店门口的热闹，他却没看懂，“什么书这么好，那么多人都抢着买？”

“不是书，是状元作文本。”

我把我听见的有关“状元作文本”的所有信息，简明扼要地讲给球球老老鼠听了。

“我怎么觉得不对头呢？”球球老老鼠说，“既然独一无二，怎么卖了那么多，还一直在卖，难道有那么多

的状元吗？”

球球老老鼠的疑惑，也是我的疑惑。我再次挤进小书店里，正听见有人在问：“还有没有省状元的作文本？”

“有，您要多少？”

“还剩多少？”

“20 本。全要吗？”

“是不是我全要了，别人就没有了？”

“那当然，每一本都是状元亲笔真迹，只有一本，没有第二本，您买了，别人就没有了。”

“二十本，我全要了！”

我亲眼看见那个人买的二十本省状元作文本，跟安琪儿妈妈买的二十本省状元作文本一模一样。我对球球老老鼠说：“你的感觉是对的，这里面有问题。”

“快给我讲讲，什么问题？”

“这状元作文本号称都是状元的亲笔真迹，独一无二，所以卖得特别贵。但是，我发现这状元作文本并不是独一无二……”

“你不是有蜜儿的眼镜吗？还怕看不出真相？”

球球老老鼠的话提醒了我。反正没有人能看见我，我爬上小书店的房梁，这个位置可以将书店内外所有的情况尽收眼底。

小书店的门口搭了一个大台子，台子上摆满了状元作文本。我戴上蜜儿的眼镜，如果这些状元作文本真的是状元真迹，我通过蜜儿的眼镜，就能看见这个状元亲手在写的样子。可是，我盯着这些状元作文本看了好久，没有一个状元出现，看见的是一台巨大的机器，本子上的字都是从机器里印出来的。

我把我在小书店房梁上看见的，都讲给球球老老鼠听了，我们很快想出了一个揭穿这场骗局的办法。

晚上，我和球球老老鼠潜伏在小书店里。

深夜时分，樱花巷已空无一人。突然开来一辆大卡车，停在小书店的门前，车上的东西都被搬进小书店里。

过了一会儿，书店老板出现了，只见他亲自动手，将刚搬进书店里的那些用牛皮纸包装的东西，都搬到靠墙的一个书架前。突然，我看见这个书架移动开来，原

来这是一道暗门！书店老板将一整包一整包的东西，都搬进了暗门里。

这牛皮纸里到底包的是什么东西，要藏得这么隐秘？

等书店老板离开了书店，我和球球老老鼠钻进暗门里。撕开牛皮纸一看，里面全是状元作文本。一包有几十本，每一本都是一模一样的。

我和球球老老鼠一夜未眠，将撕开的这包状元作文本，一本一本地搬到房梁上，完成了我们行动计划的第一步。

今天和昨天一样，来买状元作文本的人挤破了小书店的门，而且，都指着省状元作文本买；而且，一买就是全买，自以为全买了，别人就买不到了。

我趴在小书店的房梁上，随时准备行动。

有一位妈妈要买省状元作文本，但她嫌贵，问能不能给她便宜点。

“一分钱都不能少。”书店老板脸一黑，“为什么贵？就因为这是状元的亲笔真迹！全省就一个状元，一个状元就一本作文本，绝没有第二本。”

他的话音刚落，我从房梁上扔下一本省状元的作文本，那女的一把抢在手中，左看右看；又从台子上拿起一本省状元作文本，左看右看；然后将两本作文本放在一起看，突然大声地：“你骗人！你说一个省只有一本省状元的作文本，我手中的这两本是一个省的，怎么会一模一样？”

听说两本一模一样，我又扔下一本，那女的又一把抢在手里，更大声地：“啊，这一本也是一模一样的！”

我一连扔下好几本，被好几个人抓在手里，对照一看，异口同声地惊呼道：“一模一样！”

人群骚动起来，有人骂道：“心太黑啦！卖这么贵，还是假货！”

挤在小书店门前的人一哄而散。

“这是谁干的？”书店老板咆哮如雷，“谁干的？”

书店的人搜遍了小书店的每一个角落，也有人朝房梁上看，万年龟给我施了隐身术，他们当然看不见；那些被我搬到房梁上的状元作文本，也被我藏得十分隐秘。

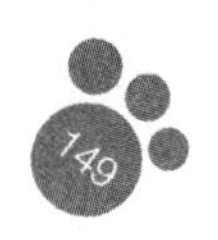


书店的人向老板报告："该找的地方都找遍了，没找到搞破坏的人。"

"难道有鬼？"书店老板怀疑是书店里的人干的，"有鬼也是内鬼。"

这时，又来一个买状元作文本的人。书店老板让书店的人都站到他跟前来，他以为这样就没"鬼"了。

那个人也要买省状元作文本。他拿起一本，一边漫不经心地翻，一边漫不经心地问："这真的是省状元亲笔真迹吗？"

"绝对真迹！"书店老板信誓旦旦，"一个省只有一个状元，一个状元只有一本，绝对没有第二本。"

书店老板话音刚落，我在房梁上又一连扔下好几本。那个人身手不凡，都接住了。他仔细地对比着，每一本都对比过了，然后，他不动声色地将对比过的作文本递给书店老板："你说绝对没有第二本，你看看这几本，怎么都是一样的？"

我把房梁上所有的状元作文本都扔了下去，这是一整包里的作文本，全部一模一样。书店老板扑在

状元作文本
状元作文本
状元作文本
状元作文本

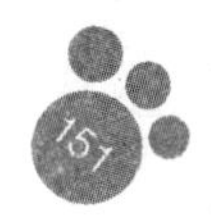


我扔下去的状元作文本上，想用身体掩盖这些罪证，那个人猛地掏出一个证件亮出来：“我们接到群众举报……”

接着，来了好几个穿制服的执法人员，他们几乎把小书店翻了个底朝天，可除了台子上摆放的状元作文本和我从房梁上扔下来的状元作文本，什么都没有搜出来。

就在穿制服的人将要离开的时候，一排书架突然移动开来，现出暗门。穿制服的人都冲了进去。

我知道，这是球球老老鼠干的。

我从房梁上下来，与球球老老鼠在小书店门口胜利会合。

“这隐身术真好！”球球老老鼠在我身边蹦蹦跳跳，“我们想干什么就干什么！”

# 真实的樱花巷

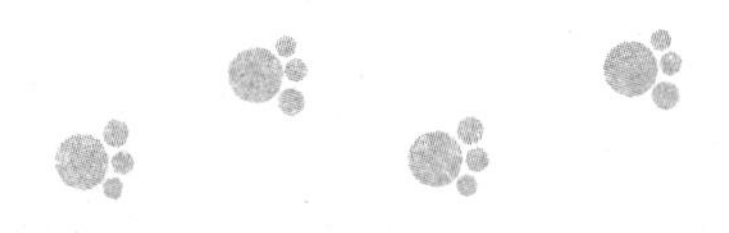

又一天　天气：夜里下了一场大雾，天地一片混沌。天亮了，雾更浓了，浓得三米以外，你看不见我，我看不见你。

万年龟要走了，蜜儿要回来了，这就意味着万年龟要解除施给我和球球老老鼠的隐身术，还意味着蜜儿的眼镜也要还回去了。

“这隐身的日子多好啊！我真想永永远远隐身下去。”球球老老鼠异想天开，“如果我一直跟在万年龟的身边，他施给我的隐身术是不是可以永远不解除呢？”

还没等我回答，球球老老鼠自问自答：“这会让我很纠结。如果我一直在万年龟的身边，就会远离你，这

个距离起码在千里之外。我不能想象没有你的日子，我的生活还有什么意义。"

"你就别胡思乱想了。"我说，"我们还是不要浪费时间，尽情地享受隐身术带给我们的美妙时光。"

贵妇狗菲娜还在帮她家女主人卖假樱花做的花冠和花环。她的女主人把她打扮得花枝招展，头上戴着花冠，脖子上挂着花环。她有时在巷头卖，有时在巷尾卖。我们就在她的身边，她却看不见我们。她最擅长立起身子跳华尔兹，只要她一跳，就会吸引很多人来看，她的女主人就会卖出去很多的花冠，很多的花环。

虽然菲娜是"人来疯"性格，就是人越多，她的表现欲越强，但是我通过蜜儿的眼镜，还是看见了她真实的内心世界——她厌恶现在的生活，她在怀念过去，怀念过去的樱花巷。那是一条安静幽雅的小巷，春夏秋冬，各有其美：春天是绚烂之美，夏天是浪漫之美，秋天是沉静之美，冬天是苍凉之美。真性情的菲娜，喜欢在樱花巷散步，欣赏樱花巷不同季节的独

特之美。

菲娜跳的华尔兹不仅人爱看，球球老老鼠也爱看。他问我："你说菲娜为什么一跳就停不下来呢？"

我反问球球老老鼠："你说菲娜过得快乐吗？"

"看她这么玩儿命地跳，应该是快乐的吧？"

"她这么玩儿命地跳，正是在掩盖她心中的不快乐。"我取下蜜儿的眼镜，"通过蜜儿的眼镜，我看见了菲娜真实的内心世界，我真的很心疼她。"

我怀念从前的菲娜，率性、仗义、爱憎分明。菲娜今天的变化，也是因为樱花巷的变化。菲娜生活在这种假象丛生的环境里，是环境改变了她。我多么希望菲娜再变回原来的菲娜！

"你希望菲娜再变回来也不是不可能。既然是环境改变了菲娜，我们把樱花巷变回来，菲娜不也就变回来了吗？"

球球老老鼠说的这番话，还真不算异想天开。我一直相信老天有眼，也许老天爷在天上，也明白我们想把樱花巷变回来、想把菲娜变回来的一番苦心，就在昨天

夜里，下了一场前所未有的大雾，给了我们一个绝好的行动机会。

樱花巷从头到尾一共有 108 棵樱花树，要把缠绕在树枝上的假樱花全部拆下来，我和球球老老鼠干了整整一夜，巷尾还剩下十几棵没拆完。天亮了，雾却越来越浓厚，整个樱花巷好像浸泡在白色的牛奶里。我再一次相信老天有眼，他在天上帮我们呢！

当我和球球老老鼠拆完最后一棵樱花树上的假樱花，雾还是那么浓。我和球球老老鼠从树上下来，只等雾散尽以后，看樱花巷变回来。

渐渐地，雾不是那么浓厚了，变成了轻纱般缭绕的薄雾。隐隐约约，能看见房子、街道和树的轮廓了。

渐渐地，雾散尽了，呈现在我们眼中的樱花巷是那么的清晰。眼前的樱花树，干枯的树枝光秃秃的，完全没了昨日的风采，但却是真实的——冬天的樱花树，就应该是这样子的。

慕名而来观赏樱花的游人，连一片花瓣都没见到，失望地离开了。

樱花巷又恢复了往日的宁静，尽显冬天的苍凉之美。这才是我记忆中的冬天的樱花巷，这才是真实的樱花巷。

贵妇狗菲娜出现在樱花巷。冬日的阳光照耀着她，全身仿佛笼罩在金色的光环里。菲娜的头上没戴花冠，脖子上也没挂花环，可是她高贵优雅，这才是菲娜与生俱来的独特气质。

我和球球老老鼠远远地跟随在菲娜的身后，欣赏着她天然的美丽。球球老老鼠自我陶醉道:“笑猫老弟，必须要承认，你很伟大，我也很伟大。我们不仅把樱花巷变回来了，我们把菲娜也变回来了。”

今天天黑之前，我就要把蜜儿的眼镜还回去了。再一次戴上蜜儿的眼镜——这神奇的眼镜，这能看透真相的眼镜，我看见的樱花巷是真实的，我看见的菲娜也是真实的。

只有真实的，才是最美的。

杨红樱
记忆的相册

在马赛马拉大草原拍摄狮子

# 难忘的非洲之行

南非的国花——帝王花，
号称“花中之王”

在开普敦半岛的
大西洋海边

来到向往已久的非洲好望角

马赛族部落的孩子

《走出非洲》是我喜欢的电影，这部电影改编自丹麦女作家卡伦·布里克森的同名小说，她的故居在肯尼亚首都内罗毕

到肯尼亚参加内罗毕第19届国际书展，在中国展台举办英文版图画书《老仙树》的新书发布会

马赛族部落的青年

和长颈鹿亲密接触

# 仔仔的往日时光

杨红樱阿姨：

在我很小的时候，您就让“喜之郎”小人儿住进了我的心里，他长不大，他永远是个孩子，永远简单、纯粹、快乐、天真。虽然我今年已经十八岁了，但是马小跳、吴缅、冉冬阳和笑猫，让我依然单纯，依然善良。

您的“铁杆樱桃”：张子墨

杨红樱阿姨：

您是我最喜欢的作家，“笑猫日记”系列和“淘气包马小跳系列”都是我的心肝宝贝。您写的每一本书中都有生动的故事，这些故事让我悟出了一个又一个道理。杨阿姨，您为什么这么懂我们小孩子呢？还有，您写的这些书里都有好多好词、好句。自从我读了您的书，我的词汇量就渐渐增加了，原本讨厌作文、一到写作文时就头大的我，作文水平噌噌噌地提高了。以前我的读书笔记都只能得“良”，可读了您的书以后，我的读书笔记每次都得能“优++”呢！我一定会永久保存您的书！

您的“铁杆樱桃”：蒋和昕

尊敬的杨老师：

在我校举办的“最让我们难忘的童年作品的投票评选活动”中，您的《男生日记》和《女生日记》获得的票数最高，这两部作品影响和激励了我们这一代人，成为我们童年最美好的回忆。

哈尔滨理工大学　刘东东

**图书在版编目（CIP）数据**

樱花巷的秘密 / 杨红樱著.—济南：明天出版社，2017.1（2018.12重印）
（笑猫日记）
ISBN 978-7-5332-9046-7

Ⅰ.①樱… Ⅱ.①杨… Ⅲ.①童话－中国－当代
Ⅳ.①I287.7

中国版本图书馆CIP数据核字(2016)第277866号

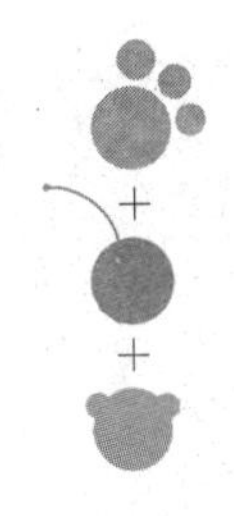

**笑猫日记**

樱花巷的秘密

出版人：傅大伟
出版发行：山东出版传媒股份有限公司
明天出版社
社址：山东省济南市市中区万寿路19号
邮编：250003
http://www.sdpress.com.cn
http://www.tomorrowpub.com
各地新华书店经销
山东新华印务有限责任公司印刷

145毫米×187毫米 32开 5.375印张 8插页 73千字
2017年1月第1版 2018年12月第10次印刷
印数：1768601－1798600
ISBN 978-7-5332-9046-7
**定价：20.00元**